80⁰⁰

# JUAN RULFO

**« Classiques pour demain »**
**Collection dirigée par D.H. Pageaux**

A paraître :

Paul Hazoumé, *Doguicimi*

© L'Harmattan, 1986
ISBN : 2-85802-822-2

Milagros **EZQUERRO**

# *JUAN RULFO*

**EDITIONS L'HARMATTAN**
5-7, rue de l'Ecole-Polytechnique
75005 Paris

# SOMMAIRE

# NOTES BIOGRAPHIQUES

## COMME UNE COMETE

Juan Rulfo est mort le 7 janvier 1986, au moment où la Comète de Halley défrayait les chroniques de l'ancien et du nouveau monde. Comment ne pas voir un signe dans une telle conjonction chronologique ? Ce Mexicain modeste et discret est passé dans la littérature de langue espagnole comme une comète : deux livres, publiés en 1953 et 1955, ont suffi à lui assurer une place de tout premier plan, une renommée qui n'a cessé de grandir jusqu'à aujourd'hui. Pendant trente ans, journalistes, critiques et curieux n'ont pas manqué de demander à l'écrivain ce qu'il était en train d'écrire, pourquoi il ne publiait plus rien. Le plus souvent Rulfo répondait qu'il écrivait et détruisait des dizaines et des centaines de pages tous les ans. Pendant les années 60 il parla à plusieurs reprises d'un roman qu'il écrivait et retouchait sans cesse : il s'intitulait *La cordillera* (La cordillère) et il donna des précisions sur son contenu. En 1968 il déclara qu'il avait laissé de côté ce roman dont les 250 pages déjà écrites lui semblaient « rhétoriques », et qu'en revanche il travaillait à un recueil de nouvelles qu'il devait publier à la fin de l'année sous le titre *Días sin floresta* (Jours sans bocage). Aucun des deux livres ne verra le jour, pas plus que le premier roman qu'il avait écrit vers 1940, dont il publia un fragment sous le titre « Un pedazo de noche » (Un morceau de nuit).

De ce roman de jeunesse qui s'appelait « El hijo del desaliento » (Le fils du désespoir), il a déclaré :

> C'était un roman un peu conventionnel, trop hypersensible, mais qui essayait plutôt d'exprimer une certaine solitude.

Il le détruisit.

En 1980 parut sous le titre : *El gallo de oro y otros textos para cine* (Le coq d'or et autres textes pour le cinéma) un recueil qui comprenait, outre trois textes effectivement cinématographiques, le récit qui donne son titre au recueil et qui n'est pas un scénario de cinéma, mais bien un court roman de quelque 70 pages. Ce texte est entouré de mystère : d'après les déclarations de Rulfo et de Jorge Ayala Blanco, auteur du prologue de cette édition, il semblerait qu'il s'agisse d'un roman qu'il avait écrit avant 1962 et d'après lequel il fit ensuite un scénario pour le producteur Manuel Barbachano. En 1964 Roberto Gavaldon réalisa un film sur cet argument (Rulfo figure dans le générique comme auteur de l'argument, non du scénario), mais qui n'a rien à voir avec le texte de Rulfo. En fait, il se pourrait qu'il s'agisse d'une copie du roman original, sauvée de la destruction par la piété filiale de Pablo Rulfo, le fils de l'écrivain.

Destruction, mystère, murmures, silence entourent l'œuvre rulfienne immergée, tout comme ils habitent l'œuvre émergée. Peut-être est-ce là deux façons complémentaires d'écrire une œuvre ? On va essayer de voir ce qui dans la vie, réelle et fantasmée, de Juan Rulfo éclaire cette double modalité.


## UN PROVINCIAL MODESTE ET DISCRET


Juan Rulfo est né à Sayula, village de l'Etat du Jalisco, le 16 mai 1918, alors que la Révolution Mexicaine, commencée en 1910 est loin d'être finie. Officiellement elle se termine en 1920, mais les violences éparses se poursuivent, et en 1926 éclate, dans les Etats du Nord-Ouest

(Colima, Jalisco, Michoacán, Nayarit, Zacatecas et Guanajuato) une rébellion contre le gouvernement fédéral à cause d'un décret, qui appliquait un article de la Constitution révolutionnaire, limitant le pouvoir et les prérogatives du clergé. Ce fut, de 1926 à 1928 la Guerra de los Cristeros, ainsi nommée parce que les insurgés se rassemblaient au cri de « Vive le Christ-Roi ! ». De cette enfance marquée par la violence et la mort, Rulfo a parlé mieux qu'on ne saurait le faire :

> Je naquis dans ce qui est maintenant un petit village, hameau qui appartient au district de Sayula. Sayula fut un centre commercial très important il y a quelques années, avant et même après la Révolution. Mais moi je n'ai jamais vécu là-bas, à Sayula. Je ne connais pas Sayula. Je ne pourrais pas dire comment c'est... Mes parents m'inscrivirent au registre là-bas. Parce que je suis né à l'époque de la Révolution, c'est-à-dire, les époques des révolutions parce qu'il y eut une série de révolutions... Je vécus dans un village qui s'appelle San Gabriel. En réalité je me considère de ce lieu. C'est là que je passai les années de l'enfance. San Gabriel était aussi un centre commercial. San Gabriel anciennement était un village prospère ; c'est par là que passait le chemin royal de Colima (1).

Il passe donc son enfance dans ce village, alors riant et prospère et qui, ensuite, comme tant de villages de cette région, se sont ruinés, dépeuplés, transformés en villages-fantômes que l'on retrouvera dans toute son œuvre (Luvina, Comala...) :

> L'école primaire, je l'ai faite à San Gabriel, c'est là mon univers. Et je vécus là jusqu'à dix ans. C'est un de ces villages qui ont perdu jusqu'au nom. Maintenant il s'appelle Cité Venustiano Carranza... Il y avait un fleuve. Nous allions nous baigner au fleuve à l'époque des basses eaux. Actuellement ce fleuve n'a plus d'eau.

On retrouvera dans *Pedro Páramo* l'opposition entre le village paradisiaque de Dolores Preciado et le village mort, infernal que découvre en arrivant son fils Juan.

---

(1) Lorsque je donne des citations en français, la traduction est mienne.

Sur sa propre identité l'écrivain eut aussi des paroles inoubliables :

> Je suis tellement sombre que je crois que je suis né à minuit. Je m'appelle Juan Nepomuceno Carlos Pérez Rulfo Vizcaíno. On m'a empilé tous les noms de mes ancêtres paternels et maternels, comme si j'étais le rejeton d'un régime de bananes... je préférerais un nom plus simple. Mon père s'appelait Juan Nepomuceno, mon grand-père maternel était Carlos Vizcaíno, le « Rulfo » je l'ai à cause de Juan del Rulfo, un aventurier « caraïbe », c'est-à-dire de ceux qui étaient au service de José María Calleja, alias « Le Caraïbe », qui eut une fille appelée María Rulfo Navarro qui se maria avec mon grand-père paternel : José María Jiménez.
> ... Dans la famille Pérez-Rulfo — les Rulfo, une famille très nombreuse, surtout du côté des femmes, il n'y a jamais eu beaucoup de paix : tous mouraient tôt.. et tous étaient assassinés dans le dos. Seul David, le dernier, victime de sa passion, fut tué par un cheval. Mon père ne fut pas tué par un employé, il n'avait pas d'employés... On l'a tué une fois qu'il fuyait... et mon oncle on l'a assassiné, et d'autres et d'autres... et grand-père, il fut suspendu par les pouces, il les perdit... tous mouraient tôt à l'âge de 33 ans. C'était, c'est une zone, jusqu'à une époque récente, une zone violente.

Peut-on rêver plus beau roman familial ? On y retrouve le goût pour les généalogies, la conscience du symbolisme du nom propre, du poids des ancêtres dont on vous « empile » les noms, des fois que vous voudriez les oublier. L'obsession des morts violentes qui se succèdent, comme dans *Pedro Páramo* ou dans « L'homme », l'oncle passionné de chevaux, qui est tué par l'un d'eux, comme Miguel Páramo ; jusqu'au pouce perdu de « l'homme » qui peut rappeler la tragique histoire du grand-père. Il y a un élément dans ce texte que je voudrais souligner dans la mesure où il ne me paraît pas insignifiant, c'est le nom que s'est *choisi* l'écrivain.

Il dit dans une autre entrevue, en parlant de ses ancêtres :

> ... Originellement, l'un d'eux, l'ancêtre direct, fut moine dans un couvent, il était l'aîné de la famille et le père

ne l'aimait pas et il le fit rentrer au couvent ; alors il partit au Mexique dans un couvent, de là il s'enfuit et originellement il s'appelait Juan del Rulfo, il ne portait pas le nom de Pérez Rulfo...

Cet ancêtre, moine défroqué puis aventurier, prit le nom de « Pérez » lorsque, changeant de camp, il voulut abandonner son nom, trop connu de ses nouveaux ennemis. Si on avait suivi l'usage onomastique normal, le père de l'écrivain aurait dû s'appeler Jiménez Rulfo et l'écrivain Jiménez Vizcaíno. Or la famille paternelle a pris le nom de « Pérez Rulfo », nom double qui ne constitue pas une filiation ordinaire, mais la rattache à un ancêtre unique — le moine aventurier — qui avait changé son nom pour des raisons de survie. Quant à notre écrivain, il s'est choisi le « Rulfo » qui le rattache directement à cet ancêtre presque mythique par le truchement d'une femme (la fille du moine aventurier María Rulfo Navarro). Ce faisant, il écarte le nom de la mère qui n'est même pas cité, si ce n'est à travers le nom du grand-père maternel (Carlos Vizcaíno). Si l'on ajoute à cela qu'il ne parle jamais directement de sa mère, on peut avancer qu'il y a une sorte de *forclusion* de la mère, ce qui, évidemment, ne peut être sans conséquences.

Juan Rulfo a six ans à peine quand il perd son père, assassiné. Au moment de la guerre de los Cristeros, le curé du village confie à sa grand-mère la bibliothèque paroissiale : le jeune garçon la lira tout entière. Après la mort de son père, se situe une époque de sa vie qui l'a beaucoup marqué et autour de laquelle plane un certain mystère :

> Je vécus là, avec une grand-mère, une des Arias qui étaient arrivés au XVIᵉ siècle, peut-être des Andalous, et mes frères, jusqu'à ce que mon père fût tué. De là nous passâmes à un orphelinat. C'est très courant. Actuellement encore bien des gens des villages de là-bas qui veulent faire faire des études à leurs enfants et n'ont pas une personne pour en prendre soin, les envoient internes dans des collèges, et je suis resté là-bas jusqu'à l'âge de 16 ans, plus ou moins. C'est-à-dire jusqu'à ce qu'éclatât la grève à l'Université. Je veux dire jusqu'à 14 à l'orphelinat, jusqu'à 16 à Guadalajara. La grève éclata presque le jour même où je rentrais, en même temps qu'un cousin

à moi, un Vizcaíno, et elle dura environ un an et demi. C'est pour ça que je suis parti à la capitale Mexico, pour continuer mes études.

Qu'était en réalité cet « orphelinat » dont il a gardé un si terrible souvenir et qui lui laissera à jamais cet air d'orphelin triste et désorienté ? Il semble que dans la réalité ce fût plutôt un internat sombre et sévère, comme il y en avait partout à cette époque, mais qu'il l'ait vécu comme une sorte de maison de redressement, d'exil où il apprit la solitude et le désespoir. Les violences, les morts successives, la solitude, l'angoisse de l'abandon : peu à peu se crée l'univers de la fiction qui prendra corps 20 ou 30 ans plus tard. Sa mère — dont il ne parle jamais, dont il ne donne pas même l'identité — mourra en 1930, six ans après le père.

En 1933, empêché de poursuivre ses études à Guadalajara en raison de la grève de l'Université, il s'en va vivre à la capitale. Là, il vit d'abord dans le Moulin du Roy avec son oncle David Pérez Rulfo, membre de l'Etat Major du général Avila Camacho. Quand le Moulin est transformé en usine, il loue une chambre d'hôte. Il commence des études de droit — son grand-père était avocat et il fallait que quelqu'un utilisât sa bibliothèque —, mais à la suite de problèmes académiques et surtout de son goût très modéré pour les lois, il abandonne ses études et cherche du travail.

A 18 ans, il travaille au ministère de l'Intérieur comme archiviste de l'immigration. Il suit, en qualité d'auditeur libre, des cours de littérature, mais surtout il fréquente le café de Mascarones où se réunissait un groupe d'intellectuels qui discutaient sur les auteurs à la mode. A cette époque, il lit les auteurs russes ou nordiques, traduits en Espagne, et qui étaient en vogue : Korolenko, Andreiev, Hansum, Selma Lagerloef, Ibsen. Il fait la connaissance de Efrén Hernández qui l'encouragera beaucoup à écrire.

Parfois, le soir, il reste dans son bureau, solitaire, et il écrit. Il compose son premier roman, fruit de son expérience d'immigrant dans la grande métropole : « Le fils du désespoir » :

Je dialogais avec la solitude, il était d'aussi mauvais goût que son titre. Je décidai de jeter à la corbeille mes trois cents feuillets.

De ce roman, il ne reste que le fragment « Un morceau de nuit » qui sera inclus dans la première édition de *La plaine en flammes*. En 1937, il écrit « La vida no es muy seria en sus cosas » (La vie n'est pas toujours très sérieuse) nouvelle qui ne sera publiée qu'en 1945. A partir de là, il essaye de trouver un langage dépouillé de rhétorique et de sensiblerie, des personnages simples. Dans sa tête commence à fermenter l'œuvre de sa vie, qu'il va porter en lui pendant une quinzaine d'années avant de l'écrire en quatre mois :

A cause de l'échec de mon roman, j'écrivis des nouvelles en essayant de trouver une forme pour *Pedro Páramo* que je portais dans ma tête depuis 1939.

En 1945, il publie, outre la nouvelle déjà citée, « Nos han dado la tierra » (On nous a donné la terre) et « Macario ».

A partir de 1946 et jusqu'en 1954 il travaille chez Goodrich comme vendeur de pneumatiques. Il continue d'écrire des nouvelles et de collaborer à la revue AMÉRICA, jusqu'à ce que, en 1953, le Fondo de Cultura Económica publie le recueil *La plaine en flammes*. En 1947, il épouse Clara Aparicio dont il aura 4 enfants : Claudia (1948), Juan Francisco (1951), Juan Pablo (1955) et Juan Carlos (1964).

En 1954, il va écrire son roman. Il raconte comment se produisit le déclic qui déclencha l'accouchement de cette œuvre qui mûrissait en lui depuis si longtemps.

*Pedro Páramo* venait de plus loin. Il était déjà, on peut presque dire, planifié. Depuis quelque dix ans auparavant. Je n'avais pas écrit une seule page, mais il tournait dans ma tête. Et il y eut quelque chose qui me donna la clé pour le sortir, c'est-à-dire pour dégager ce fil encore pris dans la laine. Ce fut quand je revins au village où j'avais vécu, 30 ans après, et que je le trouvais dépeuplé. C'est un village qui avait quand je l'ai connu sept mille, huit mille habitants. Il avait 150 habitants quand j'arrivai.

Ces maisons immenses — c'est un de ces villages très grands, les magasins là-bas se comptaient par portes, c'étaient des magasins de huit portes, de dix portes — et quand j'arrivai les maisons avaient un cadenas. Les gens étaient partis, comme ça. Mais quelqu'un avait eu l'idée de semer des casuarinas dans les rues du village. Il me fallut passer là une nuit et c'est un village où le vent souffle beaucoup, il est au pied de la montagne. Et la nuit les casuarinas mugissent, hurlent. Et le vent. Alors je compris cette solitude de Comala, de ce lieu.

Le manuscrit s'appela successivement « Les murmures » et « Une étoile près de la lune », il fut remis en septembre 1954 et devint *Pedro Páramo*. En mars 1955 parut une édition de 2 000 exemplaires : il eut à Mexico un accueil défavorable, en 4 ans il s'en vendit 1 500 exemplaires.

Rulfo rentre en 1955 dans l'équipe de la « Commission du Papaloapán » qui devait étudier un plan d'irrigation très ambitieux autour du fleuve Papaloapán dans la région de Veracruz. Il reste pendant deux ans loin de la capitale. La commission est dissoute et Rulfo revient à Mexico. Entre-temps étaient parues des critiques extrêmement positives d'écrivains comme Carlos Fuentes et Octavio Paz, et Rulfo apprenait que des traductions étaient en cours en allemand, en anglais, en français et en hollandais. La carrière internationale de *Pedro Páramo* était commencée.

En 1956, il travaille dans le cinéma commercial « sans résultats positifs ». En 1959, il entre à la télévision de Guadalajara et commence à faire un travail d'archives historiques autour de l'histoire de l'Etat de Jalisco depuis la conquête. En 1962, il publie ainsi : *Nouvelles historiques de la vie et faits de Núñez de Guzmán*. C'est cette même année 1962 qu'il entre à l'Institut Indigéniste où il travaillera jusqu'à sa mort. Sa tâche consiste à revoir, souvent à réécrire, des travaux d'anthropologues sur les communautés indigènes, pour publication. Il avait parfois des missions qui l'amenaient à voyager dans les régions les plus reculées du Mexique, et au cours desquelles il prenait des photographies de paysages, d'hommes et de femmes, de maisons et d'arbres qui donnent une vision tout à fait comparable à celle de ses narrations. Une exposition de ces photographies eut lieu à Paris, ensuite une édition en fut faite en 1983.

La renommée de Juan Rulfo n'a cessé de grandir, malgré un silence long de 30 ans, appuyée sur une œuvre longue de 250 pages. Aujourd'hui que la mort a fait taire définitivement les importunes rumeurs sur d'hypothétiques œuvres en cours, on peut réfléchir sur ce phénomène unique à une époque de lancements tapageurs et de succès fulgurants. Il est évident que c'est une œuvre née de l'obsession fondamentale d'un homme qui, pour exprimer cette obsession, a travaillé pendant quinze ans à trouver et à perfectionner un langage, le seul qui pouvait l'exprimer. Contrairement à ce que s'est souvent plu à dire la critique, l'écriture rulfienne n'est pas une écriture spontanée et naïve. Elle est profondément élaborée et polie pour parvenir à ce degré de pureté parfois sidérant. Les paysans de Rulfo ne parlent pas comme les paysans du Jalisco, d'ailleurs, disait-il avec son ironie malicieuse, les paysans de là-bas ne parlent presque pas. Ce qui est indubitable c'est que cette obsession vitale qui constitue le noyau générateur de l'œuvre est fixée autour d'un lieu, d'un temps et de quelques figures essentielles, mais il est tout aussi évident que les lieux et les faits historiques vécus par le jeune Rulfo ne sauraient suffire à expliquer son œuvre. L'élaboration symbolique et langagière à partir d'un noyau d'expériences vitales est ce qui constitue la spécificité d'une œuvre ou, si l'on préfère, son mystère. Il est toujours intéressant de connaître la vie d'un écrivain, mais cela ne suffit jamais à expliquer ou à justifier une œuvre, tout au plus à en éclairer certains aspects. Parfois cela constitue aussi un écran difficile à traverser. Ce qui va nous occuper, à partir d'ici, c'est l'œuvre de Juan Rulfo, étant entendu que le lecteur, instruit et averti, saura bien faire les relations qui lui paraîtront opportunes ou intéressantes.

# LES OPERA PRIMA

## *LE FRAGMENT SAUVÉ*

Du premier roman de Juan Rulfo, *Le fils du désespoir*, il n'a subsisté qu'un fragment de huit pages qui échappa presque par hasard à la précoce obsession destructrice de son auteur. Ce roman, probablement écrit entre 1938 et 1940, était l'expression directe, immédiate, de l'expérience vécue par le jeune provincial brutalement plongé dans la vie de la capitale. En 1943, Efrén Hernández lui demande un fragment de son roman pour le faire publier par une revue lancée par les réfugiés espagnols. Pourtant, ce n'est qu'en 1959 que la *Revista Mexicana de Literatura* (Nouvelle époque, n° 3, septembre 1959) publiera ce fragment sous le titre : « Un pedazo de noche » (Un morceau de nuit), et avec la date : janvier 1940, au pied. Ce fragment, miraculeusement sauvé, de la première manière de Rulfo est fort intéressant à la fois par l'histoire qu'il raconte, et par la manière dont il le fait.

Le récit est en première personne et il met en scène une jeune prostituée qui exerce son métier dans un bas quartier de Mexico. Une nuit, alors qu'elle attend les clients, elle voit s'approcher un homme qui tient un petit enfant dans ses bras. Elle croit d'abord qu'il demande l'aumône, mais elle s'aperçoit que c'est un client. Elle refuse à cause de l'enfant, mais, devant son insistance, elle lui demande un prix dix fois plus élevé que d'ordinaire, pour s'en débarrasser : il accepte sans marchander, car c'est elle précisément qu'il vient chercher. Commence alors une étrange errance dans le monde nocture des bas quartiers. Les hôtels de passe ne veulent pas les recevoir, toujours à cause de la présence de l'enfant. Ils marchent dans la nuit et l'homme parle sans arrêt. Fatigués et affamés, ils entrent dans une gargotte et mangent tous les trois. Ils marchent encore jusqu'au petit jour, et la prostituée, épuisée, s'engouffre comme une somnambule dans sa chambre tandis que l'homme continue à lui dire qu'il voudrait la revoir. Cet homme, croquemort de son métier, deviendra plus tard — le texte l'annonce dès le début — le mari de la prostituée.

On trouve dans ce fragment des traces de ce qui avait pu apparaître à Rulfo « rhétorique » et « hypersensible » : la situation misérabiliste (même si elle est parfaitement réaliste) qui est évoquée, l'insistance sur les aspects les plus noirs, l'accumulation des effets. Il convient néanmoins d'ajouter que tout ceci peut apparaître « rhétorique » et « hypersensible » par rapport à l'œuvre rulfienne postérieure, mais que cela paraîtrait fort sobre si on le comparait à des textes d'autres auteurs. Au demeurant, on trouve déjà dans ce fragment bien des qualités que l'on reconnaîtra dans l'œuvre postérieure : l'art du dialogue, la faculté de créer une atmosphère d'inquiétante étrangeté, les personnages qui oscillent entre le réalisme et le symbole, la densité poétique des situations.

Ce qui me paraît particulièrement fascinant dans ce fragment par rapport à l'œuvre rulfienne, c'est d'abord la présence d'un narrateur qui s'identifie à un personnage féminin : ce cas ne se reproduira jamais, ni dans les nouvelles, ni dans les romans. Par contre, en tant que personnage, cette femme au nom incertain (elle se fait appeler tantôt Pilar tantôt Olga, « pour ce que ça sert... »), rappelle les grands personnages féminins : Matilde Arcángel, Susana San Juan, Dolores Preciado, Bernarda « La Caponera ». A cause de l'aura de souffrance et de mystère qui est la sienne, à cause de la fascination qu'elle exerce sur l'homme, à cause de son caractère « intouchable » si paradoxal étant donnée sa profession.

Le second élément remarquable est le personnage de

l'enfant. Victime et témoin de ce monde misérable et triste, il constitue en même temps un corps hétérogène qui met en relief l'horreur de ces bas-fonds auxquels il appartient et dont il perturbe à la fois le fonctionnement normal. Voici comment il est décrit :

> Il avait des yeux comme de grande personne, pleins de malice ou de mauvaises intentions. Je pensai qu'il était peut-être le pur reflet de nos vices.

On peut voir dans ce personnage le germe d'autres personnages témoins qui abonderont dans les nouvelles et les romans postérieurs : Macario, le berger de « l'homme », le personnage-narrateur de « C'est que nous sommes très pauvres », et même Juan Preciado. Témoins ingénus et impuissants, toujours à la limite de l'enfance ou de l'infantilisme, ils ont une fonction de révélateurs de la misère et de l'absurdité fatales du monde et des hommes. C'est en grande partie sur eux que repose l'impression de fragilité de l'être face au poids du réel et de la conscience.


## LA PREMIERE NOUVELLE


C'est en juin 1945 que parut le premier récit de Juan Rulfo dans le n° 40 de la revue AMÉRICA à laquelle il collaborait depuis 1942. Ce récit porte un titre étrange, qui est un fragment de phrase repris du texte : « La vida no es muy seria en sus cosas » (La vie n'est pas toujours très sérieuse). Il est contemporain de « Macario » et de « On nous a donné la terre », publiés la même année, pourtant c'est le seul récit qui ne sera pas repris dans le recueil, *La plaine en flammes*.

Il est écrit en narrateur impersonnel et raconte l'histoire d'un enfant qui est encore dans le ventre de sa mère. C'est le huitième mois de la grossesse et le père, entre-temps, est mort : l'enfant non-né porte le même prénom que le père. Un jour la mère veut aller un moment sur la tombe du père et, comme il fait froid, elle rentre chercher un manteau qui se trouve sur une étagère haute. Quand elle veut redescendre, elle sent le sol lui échapper.

Comme dans le fragment du premier roman, on retrouve le personnage de l'enfant, pris à un âge encore plus tendre, puisqu'il n'est pas encore né, mais déjà victime de la fatalité : son père mort, sa mère triste et anxieuse qui, voulant le protéger, va l'entraîner dans sa chute, peut-être dans sa mort. L'enfant, encore dans son premier berceau, se sent pourtant en sécurité :

> Certes, il se sentait un peu gêné d'être enroulé comme un escargot, mais, pourtant, on vivait à l'aise là-dedans, à dormir sans arrêt et surtout plein de confiance ; avec la confiance que l'on sent à être bercé à l'intérieur de ce grand berceau sûr qu'était sa mère.

Ce texte, de toute évidence, est terriblement imprégné des angoisses fondamentales de Rulfo, et il ne serait pas étonnant que ce fût là le motif de l'élimination de cette nouvelle lors de la constitution du recueil. Pourtant, ce texte est plein d'intérêt et on y décèle sans peine des aspects qui seront repris et travaillés dans d'autres textes. Ainsi ce récit met en scène une situation où la mort du père empêche toute relation avec le fils et entraîne la mort — symbolique ou réelle — du fils. La même structure dramatique se retrouve dans « Macario » et dans *Pedro Páramo*. Mais ce qui est frappant dans cette première nouvelle c'est que la relation mortifère entre le père et le fils y est présentée dans une sorte de pureté absolue : ils sont identifiés l'un à l'autre puisqu'ils portent même prénom et que l'un est mort et l'autre pas encore né, et en même temps, ils sont voués à ne pas se connaître et donc à ne pouvoir s'identifier. La mère a, ici comme dans *Pedro Páramo,* une fonction médiatrice, mais, en même temps, elle est happée par le pouvoir mortifère du père qui la détruit elle aussi.

Cette première nouvelle mériterait bien de figurer dans *La plaine en flammes,* car elle a souffert du statut de marginalité que lui a conféré sa non-inclusion. Rulfo y fait déjà la preuve de sa maîtrise du genre : la densité poétique, la tension dramatique, l'art du non-dit et de la suggestion, le poids symbolique sont notables dans ce récit de trois pages. Mais peut-être le sujet même de la nouvelle la prédisposait-elle à cette incommunicabilité, peut-être, comme l'enfant Crispin, était-elle morte-née ?

# LA PLAINE EN FLAMMES

## GENESE

C'est en 1953 que le Fondo de Cultura Económica publie la première édition du recueil qui porte le titre de la plus longue des nouvelles qu'il inclut. Avant cette date, Juan Rulfo a pubié sept récits, dont six seront repris dans le recueil :

— « *La vida no es muy seria en sus cosas* » (La vie n'est pas toujours très sérieuse) écrit en 1937, publié le 30 juin 1945 dans la revue AMÉRICA, n° 40, est le seul non inclus dans le recueil.

— « *Nos han dado la tierra* » (On nous a donné la terre), publié en juillet 1945, dans la revue PAN n° 2.

— « *Macario* », publié en novembre 1945, dans PAN n° 6, puis dans AMÉRICA, n° 48, en février 1946.

— « *La cuesta de las Comadres* » (La côte des Commères) publié dans América, n° 055, en 1948.

— « *Talpa* », publié dans AMÉRICA, n° 62, en 1950.

— « *El llano en llamas* » (La plaine en flammes) publié dans América, n° 64, en 1950.

— « ¡ *Diles que no me maten* ! » (Dis-leur de ne pas me tuer !) publié dans AMÉRICA, n° 66, en 1961.

A ces six récits s'ajoutent, dans la première édition, neuf autres inédits : « *Un pedazo de noche* » (Un morceau de nuit) qui est en fait le seul fragment sauvé du premier roman détruit, *Le fils du désespoir,* « *Es que somos muy pobres* » (C'est que nous sommes très pauvres), « *En la madrugada* » (A l'aube), « *Luvina* », « *La noche que lo dejaron solo* » (La nuit où ils le laissèrent tout seul), « *Acuérdate* » (Souviens-toi), « *No oyes ladrar los perros* » (Tu n'entends pas les chiens aboyer), « *Anacleto Morones* », « *Paso del Norte* » (Passage du Nord). Il y aura sept réimpressions de cette édition en 1955, 1959, 1961, 1964, 1965, 1967, 1969.

En 1955 paraissent deux nouvelles inédites :

— « *El dia del derrumbe* » (Le jour de l'écroulement) publiée dans MÉXICO EN LA CULTURA, n° 334, et republiée dans ANUARIO DEL CUENTO MEXICANO, en 1956.

— « *La herencia de Matilde Arcángel* » (L'héritage de M.A.), publiée dans CUADERNOS MÉDICOS, I, n° 5, et dans Metáfora, n° 4, septembre-octobre 1955, puis dans ANUARIO DEL CUENTO MEXICANO, en 1959.

En 1970, le Fondo de Cultura Económica, fait une deuxième édition de *La plaine en flammes,* modifiée par l'auteur : il ajoute les deux nouvelles ci-dessus, publiées en 1955 et enlève : « *Un morceau de nuit* » et « *Passage du Nord* ». Outre ces ajouts et suppressions, Rulfo modifie l'ordre des récits : « *Macario* » qui ouvrait la première édition, passe au centre dans la deuxième, « *Anacleto Morones* » qui était quatorzième, passe en dernière position.

D'autres éditions sont publiées en Espagne.

En France, c'est Roger Lescot qui traduira le recueil. *La plaine en flammes* est publiée aux Editions Seghers en 1958, et chez Gallimard en 1959. Il n'est malheureusement pas disponible actuellement.

Comme on l'a vu, Juan Rulfo, après sa décision de détruire son premier roman qui ne correspondait pas à ce qu'il désirait exprimer, se met à écrire des nouvelles comme exercices d'écriture, en quelque sorte. Il cherche un style dépouillé, sobre, sans rhétorique ni sensiblerie, des personnages simples, des situations sans complications. Il veut éliminer ce qu'il appelle « les interventions de l'auteur », les « digressions », il souhaite que le lecteur soit partie prenante dans la construction du récit. D'une certaine façon, ces récits devaient être des esquisses, des croquis pour préparer le grand tableau qui mûrissait dans sa tête. En fait, les nouvelles de *La plaine en flammes* sont toutes de purs chefs-d'œuvre. Bien sûr, l'univers des nouvelles a beaucoup de traits en commun avec celui de *Pedro Páramo,* mais s'ils participent de la même magie, s'ils exercent sur le lecteur la même fascination, rien ne se répète, même si tout se répond. Le monde fictionnel de Rulfo n'est pas un monde d'où on pourrait retrancher une virgule, ce n'est pas non plus un monde clos et asphixiant malgré l'angoisse qu'il éveille le plus souvent. Chaque récit constitue une sorte de percée, de trouée vers des horizons inconnus de rêve, d'illusions ou d'obsessions qui pouvaient être ceux de l'auteur ou des personnages, mais que le lecteur s'approprie totalement.

Les dimensions du présent essai ne nous permettent pas une analyse sérieuse de toutes les nouvelles du recueil, or parler brièvement de toutes les nouvelles impliquerait de se contenter d'un résumé commenté — ce qui a déjà été fait en abondance. On a donc opté pour une solution qui allie la brièveté de l'espace et l'approfondissement qu'exigent les récits de Rulfo : elle consiste à choisir trois nouvelles, parmi celles qui ont été le moins commentées par la critique, et à en proposer une analyse détaillée, susceptibles de donner des idées précises sur les caractéristiques essentielles de l'écriture rulfienne. Nous espérons ainsi éveiller l'appétit du lecteur et l'orienter dans le monde complexe mais envoûtant de *La plaine en flammes.*

## « MACARIO »

Comme je l'ai déjà signalé, « *Macario* » est un des tout premiers récits écrits par Juan Rulfo, au moins huit ans avant la publication du recueil. Dans la première édition, « Macario » était placé en tête, et bien que Rulfo ait déclaré que cette place n'avait pas une signification particulière et que l'ordre des récits avait été probablement décidé par les éditeurs, je donne à cette particularité une importance que l'analyse, je crois, justifie. Que « *Macario* » ait été déplacé par l'auteur dans la seconde édition (1970) prouve d'ailleurs que sa place n'est pas insignifiante : il passe de la tête au centre du recueil.

### Je ne dois pas m'endormir

La version originale se présente comme un texte d'un seul tenant — d'un seul souffle peut-on dire en tenant compte de la nature de monologue à haute voix ou soliloque que le texte lui-même indique —, entrecoupé seulement de points de suspension qui constituent la « respiration » du récit. La récurrence des points de suspension rythme le flux narratif et l'organise en segments ou séquences. Très vraisemblablement les points de suspension figurent typographiquement les brefs silences qui ponctuent le soliloque.

Si l'on accepte ce principe d'organisation — le seul que le texte propose — on aura donc un récit organisé en 19 séquences de longueurs très variables. La disposition syntagmatique du récit, dont les fragments sont comme « faufilés » les uns aux autres, laisse présupposer que le principe organisateur de l'ensemble narratif va être la relation de contiguïté, ou encore la fonction métonymique. Si l'on regarde les choses de plus près, on peut remarquer tout d'abord que le récit progresse pas à pas en prenant toujours appui sur l'énoncé précédent par la reprise d'un ou plusieurs éléments : sujet, verbe, adjectif, sous une forme identique ou très voisine. On note aussi le nombre très réduit de relateurs marquant des rapports logiques (avant, après, cause, conséquence, concession, etc.) à l'intérieur des énoncés et entre les énoncés. C'est dire que les rapports qui s'établissent entre les différentes parties du discours sont beaucoup plus des rapports de contiguïté que des liens logiques. Ou encore que le récit progresse selon une modalité qui rappelle bien davantage la libre association d'idées qu'une narration construite selon une quelconque finalité. Si l'on considère que ce récit est entièrement pris en charge par un narrateur déclaré sous première personne du singulier, on est amené à constater que la modalité de progression du récit renvoie directement à la modalité de pensée du narrateur-personnage qui se désigne lui-même uniquement comme un *yo*.

Ce procédé d'écriture a divers effets de sens. En premier lieu, le récit soliloque se donne comme le reflet direct d'une psyché dont les mécanismes de pensée seraient rudimentaires, infantiles ou primaires. On remarque la brièveté des énoncés, l'emploi très fréquent des verbes fondamentaux « estar » et « ser », la prédominance d'une activité de simple constat, l'absence quasi totale de jugement critique sur les actes ou les paroles d'autrui. C'est la psyché de ce personnage dont la condition semble se situer à la frontière de la condition humaine et de la condition d'animal domestique.

En second lieu, les autres personnages du récit sont introduits par ce même biais des rapports de contiguïté :

— « *mi madrina* » se détache du pluriel « *estábamos cenando* », et elle a été, comme le personnage-narrateur (« *también* »), perturbée dans son sommeil par les grenouilles.

— « *Felipa* » est introduite par référence aux crapauds et à l'interdit alimentaire qui les concerne.

Il faut préciser que si le récit progresse par contiguïté immédiate, au fur et à mesure qu'il avance, s'établissent, par-dessus ces rapports de contiguïté, des liens à plus longue distance qui tissent un autre réseau de significations. Ainsi par exemple, dans les premières lignes, se nouent entre la marraine et Felipa des rapports d'opposition qui ne sont pas explicités au niveau du discours mais qui s'expriment indirectement par la phrase :

« Yo quiero más a Felipa que a mi madrina » (1).

De la même manière, partant d'une situation anecdotique, le récit dégage peu à peu les aspects essentiels d'une situation générale, sans qu'apparaisse d'une façon claire la volonté d'en rendre compte. Cette particularité est parfaitement en accord avec la forme de soliloque adoptée par la narration : un soliloque ayant un seul destinateur-destinataire n'a pas de fonction de communication et donc aucune nécessité de se lier à un ordre intelligible. Le récit soliloque a cependant une fonction bien précise qui se déclare en même temps que sa nature : Macario ne doit pas s'endormir car s'il dort, les grenouilles se mettront à chanter, sa marraine s'éveillera et, dans sa colère, elle demandera au diable de venir le chercher pour l'emporter en enfer. Il doit donc parler à haute voix pour éviter de s'endormir.

La fonction de ce monologue à haute voix (et c'est précisément ce qui nous autorise à le qualifier de la sorte) est d'éloigner le sommeil du personnage-narrateur et par là-même d'éloigner la mort et l'enfer. Il faudra revenir sur cette fonction du récit ; pour le moment contentons-nous de souligner l'adéquation entre organisation logique et fonction du récit. En effet le personnage, pour échapper au sommeil et aux terreurs qu'il suscite en lui, doit parler de façon continue et pour cela suit le fil des pensées qui lui viennent à l'esprit à partir de la situation anecdotique qui a engendré la nécessité de rester en éveil. De là, les répétitions, le retour obsessif de certains désirs, de certaines angoisses, l'aspect décousu du récit qui est sa caractéristique la plus frappante.

Pourtant le récit, loin d'être décousu, obéit à la loi

---

(1) « Moi, j'aime plus Felipa que ma marraine ».

métonymique qui préside à son organisation : si l'on examine le passage d'une séquence à l'autre, on trouve aisément les liens qui les unissent.

## Les personnages : une étrange famille

Les personnages qui apparaissent dans le récit sont au nombre de trois : « *Yo* », « *mi madrina* » et « *Felipa* ». Il n'est fait mention d'autres personnages que de façon très fugace.

Le premier à faire son entrée dans la narration est un personnage double puisqu'il se désigne lui-même comme une première personne du singulier, il est donc à la fois narrateur et personnage. Ce personnage n'a pas d'identité, son nom n'apparaît pas dans le courant du récit, cependant le prénom qui donne son titre au conte est vraisemblablement le sien. Mais nous reviendrons sur ce problème plus loin.

Le personnage-narrateur se définit d'abord par son insatiabilité : il a toujours faim et ne se rassasie jamais ; puis par un instinct d'agressivité envers lui-même qui le pousse à se cogner la tête contre les murs pendant des heures, et qui est peut-être aussi de l'agressivité contre autrui, puisque les gens prétendent qu'un jour il a serré le cou d'une femme, comme ça, sans raisons. Il se caractérise enfin par une peur panique de tout ce qui est extérieur et étranger : les autres, le dehors, la lumière, la mort et l'au-delà.

Ces trois caractéristiques entretiennent entre elles des rapports parfois explicites, comme le rapport que le personnage établit lui-même entre sa peur de la mort et son besoin perpétuel de manger ; parfois beaucoup moins évidents comme la contradiction apparente entre l'instinct d'auto-destruction et l'angoisse de la damnation.

Sa position sociale se définit par rapport au cercle très restreint où il vit. Il a pour fonction de laver les ustensiles, de balayer la rue et de donner à manger aux porcs. En échange de ces services, il est nourri un peu à la façon d'un animal domestique : sa marraine fait deux tas de nourriture, pour lui et pour Felipa, et, comme il a toujours faim, il mange les pois-chiches et le maïs qu'il donne aux cochons. On lui a assigné pour dormir une pièce où on entasse des sacs et où les bêtes pullulent : cafards, qu'il écrase sans pitié, grillons, qu'il respecte, et même des scorpions. Avec le personnage qu'il appelle « ma marraine », il a des rapports de dépendance nutritionnelle et morale : elle commande et elle tient les cordons de la bourse. Il éprouve envers elle de la considération et de la crainte ; une crainte non seulement liée au pouvoir de cette femme sur sa vie matérielle, mais aussi à son pouvoir d'intercession auprès des puissances démoniaques : s'il fait une bêtise elle demandera aux saints d'envoyer des diables pour l'emporter. Avec Felipa les rapports du personnage-narrateur sont différents. Il est aussi en dépendance nutritionnelle vis-à-vis d'elle, non seulement parce qu'elle lui prépare et lui donne sa nourriture quotidienne, mais également parce qu'elle lui donne son propre lait. De plus, il éprouve envers elle des sentiments affectueux motivés par la reconnaissance qu'il a pour l'extrême bonté de Felipa.

Il faut noter que le personnage-narrateur ne considère les deux femmes de son entourage que dans leurs rapports à lui, et qu'il ne fait mention ni des relations qu'elles peuvent avoir entre elles, ni avec le dehors.

Le deuxième personnage du conte est la marraine. C'est un personnage absent, entièrement construit par le récit du narrateur-personnage, et donc uniquement vu à travers ses yeux et ses mots. Il n'a pas de nom et les termes qui le désignent définissent à la fois son rapport au personnage-narrateur et sa fonction auprès de lui. Sa fonction est maternelle puisqu'il le nourrit et exerce sur lui une tutelle morale. Cette tutelle morale est ressentie par le personnage-narrateur comme oppressive, encore qu'il ne porte pas de jugement sur elle.

La marraine est assimilée, à travers l'attribut « noir » aux crapauds sur lesquels pèse un interdit alimentaire, interdit que le personnage-narrateur déclare avoir transgressé. Cette transgression qui porte sur un substitut maternel, peut être considérée comme un fantasme de consommation incestueuse.

La marraine est perçue comme un personnage omniscient,

qui protège et nourrit mais qui peut aussi faire le mal. Elle a avec Felipa une relation de domination, car c'est elle qui commande et qui tient les cordons de la bourse. Elle nourrit Felipa, tout comme le personnage-narrateur, avec son argent et leur partage la nourriture après avoir mangé elle-même.

Le troisième personnage est Felipa. C'est, comme le précédent, un personnage absent, entièrement construit par le discours du personnage-narrateur. Il est le seul à porter un nom propre à l'intérieur de la narration. Felipa est introduite dans le récit par référence aux crapauds et à l'interdit alimentaire qu'elle exprime à leur propos. Par là-même elle est mise en relation avec la marraine d'une part et avec les grenouilles d'autre part. Un autre rapport l'unit aux grenouilles : la couleur verte de ses yeux ; or ce rapport est éludé par le texte qui substitue les chats aux grenouilles, alors que tout était disposé dans le texte pour que les yeux verts de Felipa soient rapprochés des grenouilles vertes. Cette rupture brusque du rapport posé, loin de l'annuler, le renforce, selon le mécanisme de la dénégation. La dénégation du rapport Felipa/grenouilles se justifie par l'insistance avec laquelle le narrateur a mis l'accent, avant de parler de Felipa, sur le fait que les grenouilles sont bonnes à manger. Il est évident que la suite du texte établit de façon inéquivoque la fonction nutritionnelle de Felipa. Le personnage est défini, dès le début, en rapport d'opposition et de complémentarité avec la marraine. Felipa a, elle aussi, une fonction maternelle auprès du personnage-narrateur, mais bien différente de celle de la marraine : elle le nourrit avec la nourriture qui était destinée à sa propre subsistance et avec son lait. Quant à sa fonction morale, elle est à l'opposé de celle de la marraine : elle console, rassure, caresse ; elle chasse les démons et intercède auprès des puissances bienfaitrices. Vis-à-vis de la marraine, Felipa a une relation de dépendance matérielle, mais sur le plan moral elle semble avoir une certaine indépendance car son attitude est parfois en opposition avec celle de la marraine : elle ne veut pas que Macario fasse du mal aux grenouilles alors que la marraine lui ordonne de les exterminer ; elle chasse la crainte de l'enfer que la marraine attise constamment chez Macario ;

**31**

quant à ses visites nocturnes, il paraît vraisemblable qu'elles se déroulent à l'insu de la maîtresse.

Il apparaît donc que les fonctions respectives des deux femmes par rapport au personnage-narrateur, si elles ont des points communs, ont aussi de profondes différences ; on peut considérer que pour Macario elles représentent deux archétypes maternels opposés : la mère telle qu'on la désire et la mère telle qu'on la redoute. Il est clair que, dans cette perspective, les relations nocturnes de Felipa et de Macario sont à interpréter comme un fantasme de consommation de l'inceste. De même, l'appétit insatiable de Macario, ressenti, notons-le, comme anormal et coupable, est un substitut du désir incestueux, et l'angoisse de la mort et du châtiment éternel n'est autre que le sentiment de culpabilité inhérent au désir incestueux.

Les trois personnages dont on a analysé les fonctions respectives sont les principaux, presque les seuls personnages du conte. Les autres n'apparaissent dans le récit que sous une forme impersonnelle : « *la gente, ellos, los amantes de aporrear gente* », et toujours avec une fonction malfaisante, agressive, dangereuse. Ils sont la pure altérité, l'extériorité angoissante. Un personnage se détache anecdotiquement des autres : le curé. Il fait partie, lui aussi, du monde hostile : il lance des condamnations. Il est lié à l'instance répressive dont la marraine est la figure principale. Quelques lignes avant la fin du conte apparaît une mention curieuse à « son papa et sa maman » qui sont au purgatoire.

L'allusion à ces deux personnages pose une question qu'il serait, à mon avis, oiseux de prétendre résoudre au niveau de l'anecdote. Ce que le texte permet de poser c'est que le couple parental est lié à l'angoisse de la mort et du châtiment éternel, ce qui est en accord avec la précédente analyse, et que les parents sont vus situés dans la zone intermédiaire de l'au-delà, cette zone de transition où les pêcheurs sont admis pour devenir des élus, et où lui-même craint de ne pas être admis.

## Le temps de la parole

Le récit commence au présent et se termine au présent : le laps de temps écoulé est celui pendant lequel le personnage a bavardé avec lui-même. Le caractère essentiel des temps utilisés dans le récit est la répétitivité. La vie du personnage-narrateur semble faite d'instants ou d'actions qui se réitèrent de jour en jour, de semaine en semaine, de choses qui ne changent pas. On a dit que le monologue s'inscrivait dans la durée délimitée par les deux présents d'actualité : or, que s'est-il passé entre ces deux instants ? Rien : Macario est toujours assis près de l'eau, attendant que les grenouilles se montrent, et aucune ne s'est encore montrée. Cependant, au sein de cette durée vide, quelque chose s'est créé, venu précisément remplir ce vide : le soliloque récit. A l'image du temps où il se construit le récit détermine une durée sans dynamisme où il n'y a pas progression mais piétinement, ressassement : c'est ce que souligne la reprise quasi identique de la phrase liminaire du conte. Et pourtant, cette durée stagnante n'est pas stérile puisqu'elle donne naissance au récit et que le récit a une fonction très importante : il éloigne le sommeil et, par là, sauve le personnage-narrateur de l'angoisse de la mort et de l'enfer.

## La fonction du récit

Le récit est entièrement pris en charge par un narrateur déclaré d'emblée sous première personne du singulier. Ce narrateur s'identifie au personnage décrit plus haut qui est mis en scène assis près d'un plan d'eau, une planche à la main, en train d'attendre. Le récit commence par une description-justification de la situation ponctuelle du personnage-narrateur au moment même où est censé se produire l'acte narratif, puis dérive, par le principe de contiguïté analysé plus haut, vers une description plus générale de la vie du personnage. Ce n'est que vers la fin que se trouve précisée une importante caractéristique du récit : il s'agit d'un monologue à haute voix destiné à empêcher le personnage-narrateur de s'endormir. Or, s'il s'endormait, il s'ensuivrait une série de conséquences catastrophiques : les grenouilles chanteraient, la marraine s'éveillerait, elle le maudirait et il irait tout droit en enfer, ce qui l'empêcherait de voir ses parents qui sont au purgatoire. Ce raisonnement, qui met en lumière la logique assez particulière du personnage, met aussi l'accent sur l'extrême importance de la fonction du récit, sur laquelle nous allons revenir. La situation narrative instaurée par le récit est celle d'un JE à triple fonction : narrateur (instance de prise en charge de la narration), personnage (il se met lui-même en scène), il est aussi narrataire puisque, étant seul, il s'adresse à lui-même un récit à haute voix afin de ne pas s'endormir. De sorte que le JE cumule toutes les fonctions qu'il est susceptible de cumuler : l'entier de la fonction narratrice et une grande part de la fonction actantielle.

Ce cumul des fonctions est fondamental pour l'interprétation de la fonction du récit. Il s'agit au vrai d'une concentration des « fonctions de pouvoir » destinée à mener à bien une opération capitale — malgré les apparences anecdotiques — : éloigner le sommeil, la mort, et, ce qui est pire dans la vision du personnage-narrateur, la damnation éternelle qui l'empêchera de connaître (ou de revoir ?) son père et sa mère au purgatoire.

Il convient d'observer que la parole narratrice énonce et prend en charge d'autres paroles. Certaines sont référées à un personnage précis : ma marraine dit que..., Felipa dit que... D'autres sont des « on dit » : les gens racontent, même si on dit que..., etc.

Toutes ces paroles sont rapportées en style indirect et donc prises en charge par le narrateur. Une seule parole est rapportée comme une citation en style direct entre guillemets : « *Le chemin des choses bonnes est plein de lumière. Le chemin des choses mauvaises est obscur* ». Il n'y a donc pas prise en charge, mais au contraire mise à distance du discours du curé. Cette non-adhésion du personnage-narrateur à la sentence religieuse est confirmée par la suite de son récit où il la contredit en affirmant que lui se sent beaucoup mieux dans l'obscurité que dans la lumière. L'ensemble de ces paroles rapportées se réfèrent, comme il est naturel, aux trois composantes qui complètent la fonction actantielle : la marraine, Felipa et les « autres » dangereux, malfaisants, malpensants. Il faut souligner que toutes ces paroles passent par la parole narratrice qui les rapporte, souvent les commente ou les contredit.

On est donc amené à constater que les caractéristiques de l'instance narratrice font que ce récit est considérablement maîtrisé par le narrateur, contredisant ainsi les impressions d'infériorité que dégage le personnage de par sa condition.

On aura remarqué que chaque approche analytique du texte nous conduit vers une mise en évidence de la fonction du récit. Il convient de rappeler que « Macario » est un des premiers textes publiés par Juan Rulfo, et qu'il ouvrait la 1ʳᵉ édition de *El Llano en llamas*. De ce fait, il est fondé de dire que la fonction et la signification du récit dans « Macario » peuvent être étendues à l'ensemble du recueil, considéré comme un système organique.

Pour le personnage-narrateur le récit naît de l'impérieuse nécessité de rester éveillé pour échapper à la damnation, mais le titre du conte, par la distanciation qu'il révèle, dénonce la présence d'un narrateur extérieur, non-impliqué dans l'histoire, ou, si l'on préfère, l'inversion de la fonction narratrice : on passe d'un narrateur-personnage (JE) inclus dans le plan de l'histoire, à un narrateur qui s'exclut du plan de l'histoire en disant : celui qui parle s'appelle *Macario*. Cette objectivation de la narration a pour effet d'enrichir la fonction du récit : en effet, pour le narrateur qui s'exclut de l'histoire tout en prenant en charge la narration, le conte opère à la façon d'un rêve où le dormeur se projette tout en restant extérieur. Il constitue la satisaction fantasmatique d'un désir. Ce désir, l'analyse l'a montré, est un désir incestueux, aussi ne s'étonnera-t-on pas de trouver une ambivalence dans la fonction du récit qui est, à la fois et indissolublement, un moyen d'échapper à l'angoisse de la damnation et la satisfaction fantasmatique du désir qui est à l'origine de cette angoisse.

L'inversion de la fonction narratrice a sa correspondance au niveau du personnage avec lequel s'identifie le narrateur. L'analyse des trois principaux personnages du conte et de leurs rapports a montré qu'ils fonctionnaient selon une hiérarchie très accusée dont le personnage-narrateur occupait le dernier échelon. Or ce personnage, totalement dépendant matériellement et moralement, se met à raconter, et il crée un récit où les personnages n'existent que par lui : il a inversé ainsi la hiérarchie. Sa double fonction de personnage-narrateur lui confère le pouvoir de renverser les rôles et de se projeter à une place qui n'était pas la sienne. Une telle situation n'est pas sans rappeler celle du couple parental qui est vu par le fils situé dans cette zone de l'au-delà où le pécheur peut devenir un bienheureux. En somme, le personnage, en devenant narrateur, accède à ce purgatoire où il se figure ses parents (pourquoi là précisément ?) puisque le récit lui permet à la fois d'échapper à l'enfer et de se transformer en assumant un rôle supérieur.

Le mécanisme fondamental de l'écriture de « *Macario* » paraît bien être le dédoublement et l'inversion. On l'a vu à l'œuvre au niveau des personnages dans la double figure maternelle : mi madrina/Felipa qui ont des fonctions identiques et opposées. Le temps lui aussi participe de ce même mouvement : une durée morte, stagnante, sans dynamisme donne naissance à un récit dont la fonction est de conjurer l'angoisse de la mort. Le narrateur est double et réversible puisqu'il est à la fois intérieur et extérieur au récit, déclaré sous première et troisième personne. Quant à la fonction du récit, elle est la plus remarquable illustration du mécanisme qui peut être considéré comme le principe informateur du conte. Le récit se construit pour éloigner l'angoisse de la mort et du châtiment éternel, mais en même temps il constitue la satisfaction fantasmatique du désir incestueux qui inspire cette angoisse. Il est expression d'une infériorité sociale et morale du personnage et lui permet de renverser les rôles à son profit en devenant actif et créateur (prise en charge de la fonction de pouvoir par excellence).

Avec le fil conducteur que nous a permis de découvrir l'analyse, on peut revenir sur deux détails des premières phrases du conte : « *la alcantarilla* » et « *las ranas* ». Ce plan d'eau auprès duquel est posté le personnage apparaît maintenant clairement comme un miroir dans lequel le personnage se dédouble et s'inverse en personnage-narrateur et en narrateur intérieur/extérieur. De plus, la fonction du personnage auprès de l'eau est d'empêcher qu'aucune grenouille ne sorte de l'eau, or, en fin de compte (lisez aussi : en fin de conte), ce qui sort de l'eau-miroir c'est bien une image inversée de la grenouille, le récit :

$$(\text{R})\ \text{RANA} \rightarrow \text{NARRA}$$

Le motif thématique de la grenouille est aussi peu innocent, fortuit et insignifiant que tout autre élément du conte. Sa relation avec le personnage de Felipa, soulignée par la dénégation qui en est faite, vient nuancer et enrichir l'archétype maternel, double et antagonique lui aussi, que l'analyse avait mis en lumière. L'image maternelle se double ainsi d'une image narcissique du narrateur que le personnage menace de mort, et on retrouve par là l'instinct d'auto-destruction, double inversé de l'instinct d'agressivité. Par le réseau de rapports multiples dont elle est le centre, la double image maternelle Felipa/madrina, se conjugue avec une double image du Moi agresseur/agressé ; ainsi la satisfaction fantasmatique du désir incestueux est en même temps fantasme de satisfaction auto-érotique.

On peut encore observer que le récit, image inversée du chant des grenouilles, a pour fonction à la fois d'éloigner le sommeil du personnage-narrateur et de préserver le sommeil de la marraine, double fonction antagonique dont le but est double et antagonique lui aussi : échapper à l'angoisse de la mort et à la damnation, et satisfaire le double désir qui est à l'origine de cette angoisse.

Que « *Macario* », l'un des premiers contes publiés par Juan Rulfo, mette en scène la naissance du récit et la fonction extraordinairement importante qui lui est conférée, ne saurait nous étonner. Il était logique également que « *Macario* » ouvrît le recueil *El Llano en llamas*, non seulement à cause de la date de sa composition, mais aussi parce qu'il parle de la naissance et de la fonction du récit.

Une caractéristique très frappante de l'écriture rulfienne est que la naissance du récit, l'auto-engendrement du sujet d'écriture soient intimement liés à l'angoisse de la mort et à la fascination de l'auto-destruction. C'est probablement une des causes de l'impression que produit sur le lecteur cette écriture dense et hermétique : l'impression que quelque chose de terrible se joue là, quelque chose de plus terrible encore que les histoires pourtant si désespérées qu'il raconte. Peut-être aussi que cette fatale conjonction de l'auto-engendrement et de l'auto-destruction, obsédante dans l'œuvre de Juan Rulfo, n'est pas étrangère à sa brièveté. Le silence a fini par prévaloir sur le soliloque qui pouvait seul éloigner la mort et la damnation.

« *L'homme* » est le quatrième récit du recueil, c'est aussi un des plus difficiles à cause de la complexité de sa structure. Il relate l'histoire d'une double vengeance : celle de José Alcancía — celui qui est appelé « l'homme » — qui, pour venger l'assassinat de son frère, vient tuer le meurtrier Urquidi, de nuit dans sa maison ; celle de Urquidi qui a échappé à la vengeance parce qu'il n'était pas chez lui à ce moment-là et qui poursuit José Alcancía pour venger le meurtre de toute sa famille, massacrée à sa place. L'intérêt de cette nouvelle réside dans le sujet qui met en relief le caractère inévitable et fatal de la vengeance et de la faute et dans la remarquable subtilité de la trame narrative qui sollicite constamment la créativité du lecteur.

## Le principe de binarité

Le principe structurant du récit est la binarité : dédoublements, redoublements, effets de miroir, effets d'écho, contrepoints vont découler de ce principe. La structure tout d'abord obéit à une double binarité : la nouvelle se divise en deux épisodes caractérisés par une forme de narrateur différente : narrateur impersonnel/narrateur personnel ; le premier épisode, qui représente les deux tiers de l'ensemble (quatre pages sur six), est lui-même binaire puisqu'il met en scène deux personnages dont les soliloques alternent régulièrement. Le deuxième épisode présente lui aussi une binarité que l'on pourrait qualifier de trompe-l'œil puisqu'il est constitué d'un dialogue entre le berger qui a découvert le cadavre de José Alcancía, et le juge devant qui il fait une déclaration, or le juge n'intervient pas réellement dans le dialogue, sa présence et ses interventions sont seulement perceptibles à travers le discours du berger.

Le premier épisode raconte l'arrivée, le crime et la fuite de José Alcancía, « l'homme », suivi de près par Urquidi, celui qu'il venait tuer mais qui, absent de chez lui cette nuit-là, arrive le lendemain matin, trouve sa famille massacrée et se met à poursuivre le meurtrier pour le tuer. Le texte se présente sous la forme d'une alternance régulière de brèves séquences, focalisées chacune sur l'un des deux personnages, et constituées de l'entremêlement d'un récit fait par un narrateur impersonnel et des soliloques de chaque personnage. Les séquences sont caractérisées non seulement par la désignation de chaque personnage : « l'homme » / « celui qui le suivait (poursuivait) », mais également par l'usage d'une typographie distinctive : l'italique entre guillemets pour « l'homme », le romain entre guillemets pour le poursuivant. L'épisode se termine au moment où l'homme, arrivé à un endroit où le fleuve qu'il suivait s'encaisse entre de hautes parois, ne pouvant continuer à descendre, remonte le fleuve en revenant sur ses pas. On a appris que son poursuivant, connaisseur du terrain, l'attend en amont, sachant qu'il va être obligé de revenir en arrière.

Le second épisode est le récit que le berger fait au juge : il a vu l'homme et lui a parlé pendant les trois jours qui ont précédé sa mort, puis un matin il a trouvé l'homme couché au bord du fleuve, la nuque trouée de plusieurs balles. Il raconte ces trois jours en entremêlant son récit de retours au présent de sa situation de narration : la déclaration qu'il fait devant le juge. D'après ce qu'il dit on comprend que le juge lui reproche d'avoir en quelque sorte « couvert » un criminel, alors qu'il ne pouvait pas savoir que cet homme, apparu un jour à l'endroit où lui-même gardait ses moutons, avait massacré toute une famille. Les paroles du juge sont absentes du texte et on en connaît le contenu par les allusions qu'y fait le berger.

On aura d'ores et déjà observé que la structure met en évidence le principe de binarité qui joue non seulement dans la première bipartition en deux épisodes complémentaires, mais aussi dans la dualité interne de chacun des épisodes. Jeux de miroirs et d'échos, on va voir que la binarité ne s'arrête pas là.

## Du calvaire au labyrinthe

Le texte évoque successivement deux espaces bien distincts : la montagne que l'homme gravit jusqu'à arriver à la maison dont il tue tous les habitants puis redescend de l'autre côté, et le fleuve où il parvient au terme de sa descente et d'où il ne se sortira plus puisque c'est au bord du fleuve qu'il sera tué.

La montagne qu'il gravit par un « *chemin de fourmis, tellement il était étroit* », rempli d'herbes, d'épineux et de branches, est un lieu inhospitalier, sombre, difficile. L'air y est raréfié et le seul bruit est *l'écho* du bruit que l'homme fait en passant à travers les branches brisées. Le chemin est interminable, les horizons succèdent aux horizons. Le ciel est nuageux, tranquille, cendré et se découpe entre les silhouettes des arbres dépouillés. L'ensemble du paysage est inquiétant et sinistre, comme dans l'attente d'un événement tragique, doublement endeuillé par la nuit très sombre et par le ciel couvert. Tout en haut, enfin, la maison se découpe solitaire sur le ciel : « *Rien que le ciel, nu, cendré, à moitié brûlé par la nuit ennuagée. La terre était tombée de l'autre côté* ». La porte est ouverte, les chiens, au lieu de défendre les maîtres, accueillent l'intrus affectueusement. Il semble que, d'un seul coup, les obstacles qui avaient retardé sa montée, s'évanouissent devant la fatalité du crime qui va être accompli.

La descente vers le fleuve est rapide, seulement marquée par l'abandon de la machette, l'arme du crime, abandonnée « *comme un morceau de couleuvre sans vie* ». Le bord du fleuve est planté d'arbres en fleurs d'où descend un lierre qui « *s'enfonce dans l'eau, joint ses mains et forme des toiles d'araignée que le fleuve ne défait en aucune saison* ». Bien évidemment ce lierre qui construit des pièges cachés dans l'eau est symbolique du piège qui bientôt va se refermer sur le fugitif. Le fleuve est silencieux, « *il chemine et fait des tours sur lui-même, comme un serpentin enroulé*

41

*sur la terre verte* ». Le rapprochement de la couleuvre de la machette et du serpentin du fleuve en dit long sur le caractère meurtrier de cette eau sournoise, vipérine, dont le cours dessine une sorte de labyrinthe d'où l'homme ne saura pas sortir, et où son poursuivant l'attendra, invisible, pour lui donner la mort. Le fleuve-serpent est de toute évidence le lieu de la mort : il ne pourra pas le traverser, au risque de se noyer, il ne pourra pas le descendre car bientôt le fleuve « s'encaisse » et ce sera — le texte le dit clairement par la bouche du poursuivant — sa propre « caisse » mortuaire, et quand il le remontera ce sera pour tomber sur le fusil de celui qui l'attend. C'est donc un piège inexorable dans lequel l'homme s'enfonce de lui-même, comme par un acte d'auto-punissement. La présence, au bord du fleuve, du petit berger sera seulement un soulagement passager pour l'homme traqué par sa faute, qui ne pourra pas se soustraire au châtiment.

On peut se demander pourquoi l'homme, après avoir tué, n'est pas retourné sur ses pas, revenu chez lui. C'est bien sûr le réflexe de fuite du coupable qui veut aller dans un lieu où personne ne le connaît :

Il faut que j'aille de l'autre côté, là où on ne me connaît pas, où je ne suis jamais allé et où personne ne sait rien de moi ; ensuite je marcherai tout droit, jusqu'à arriver. De là-bas, personne ne m'en sortira, jamais.

Voulant fuir le châtiment, il tombe tête baissée dans le piège.

L'espace obéit lui aussi au principe de binarité : les deux lieux successifs et opposables, le lieu vers lequel on monte, le lieu vers lequel on descend. Bien évidemment ces deux espaces sont fortement symboliques, mais leurs significations ne sont pas simples et il faut se garder — ce que n'a pas souvent fait la critique — de tomber tout de suite dans les grands mythes, attitude qui est toujours une tentation avec les textes de Rulfo. De la montée vers le lieu du crime il faut souligner le caractère pénible, long, ardu, angoissant, les obstacles qu'il faut vaincre, l'obstination qu'il faut y déployer. La descente vers le fleuve est au contraire aisée et rapide, on pourrait croire, si ce n'étaient quelques détails inquiétants, que l'homme se dirige vers un *locus amenus,* alors qu'il va vers la mort. Le chemin de la propre mort est plus facile que celui du crime, on y est poussé par une force à laquelle il suffit de se livrer, comme l'homme qui rentre dans le courant du fleuve et se laisse emporter sans effort. Il faut attendre d'avoir analysé d'autres éléments du récit pour situer plus précisément les possibles significations de ces espaces, mais on peut d'ores et déjà apercevoir que nous n'avons pas affaire à des symbolismes très classiques, ni, sans doute, univoques.

## L'art de la fugue

Il est particulièrement malaisé de déterminer le fonctionnement du temps dans ce récit, non pas qu'il manque d'indications chronologiques, mais parce qu'elles sont fournies par les divers acteurs, de façon souvent subjective, et sans corrélations entre elles. En fait le temps est perçu et exprimé en trois points de vue différents : celui de l'homme, celui du poursuivant, celui du berger. Dans le premier épisode, l'alternance, déjà signalée entre les séquences homme/poursuivant sont trompeuses car, si elles alternent dans l'espace textuel, cette apparente simultanéité ne correspond ni à une simultanéité temporelle, ni à une coïncidence spatiale. Ainsi dans les deux premières pages du texte, il semble que le poursuivant soit sur les traces, presque sur les talons de l'homme qui monte vers la maison, or il n'en est rien. Le texte ne donne aucune indication précise sur le décalage entre les deux hommes, mais il est évident que si l'homme monte vers la maison en pleine nuit, puisqu'il a le temps de descendre jusqu'au fleuve, après le crime, avant le lever du jour, le poursuivant fait le même chemin en plein jour puisqu'il voit les traces de ses pas et de son passage avec beaucoup de précision. En fait, il est logique de penser que le poursuivant entreprend la montée vers la maison après le lever du jour, soit lorsque l'homme est déjà arrivé au bord du fleuve. Nous avons donc deux lignes temporelles, parallèles mais décalées : c'est à ce décalage qu'est dû d'abord l'échec de la vengeance de l'homme, puisque celui qu'il veut tuer n'est pas dans la maison au moment où lui-même y arrive, et ensuite la vengeance de Urquidi qui se met à poursuivre celui qui le précède dans le temps et dans l'espace. C'est à cause du piège du labyrinthe que le décalage va être aboli et la mort de l'homme consommée : l'homme va perdre son avance en se fourvoyant et en étant obligé de revenir sur ses pas. Son poursuivant n'aura qu'à l'attendre, posté à l'endroit où il doit repasser.

Une autre donnée chronologique difficile à établir est le décalage entre le premier et le deuxième épisode. A quel moment le berger voit-il l'homme pour la première fois ? La première chose qu'il lui voit faire est ce bain répété dans le fleuve : il entre dans l'eau, se laisse emporter par le courant pendant un moment, puis remonte sur la rive, se déshabille et fait sécher ses vêtements. Puis de nouveau il entre dans le fleuve, cette fois avec l'intention évidente de le traverser : le courant est trop fort ; il manque se noyer et revient sur la rive où il recommence à sécher ses vêtements. Ces actions n'étaient pas apparues dans le premier épisode, on peut donc penser que les deux épisodes sont consécutifs et que le récit du berger commence après la fin de l'épisode rapporté par un narrateur impersonnel. S'il en est ainsi, l'homme est descendu et remonté le long du fleuve plusieurs fois : une fois dans le premier épisode, une seconde fois lorsque le berger le voit sans être vu de lui, et le lendemain il redescend de nouveau jusqu'à l'endroit où se trouve le berger. Ce jour-là, l'homme affamé, tète une brebis du troupeau, puis il disparaît on ne sait où. Le lendemain, il arrive en même temps que le berger, bavarde avec lui, mange de ses galettes et se fait rôtir un morceau de mouton. Enfin, le jour d'après, le berger en arrivant le trouve couché sur le ventre au bord du fleuve, « *la nuque remplie de trous, comme si on l'avait percé* ». C'est ce jour-là qu'il va trouver le juge pour lui signaler le crime.

Si on tient compte, au plus juste, de toutes ces données, on peut établir une chronologie de l'histoire qui serait à peu près la suivante :

— Temps perçu par Urquidi :

I : le nouveau-né meurt (dimanche)

44

II : Urquidi quitte sa maison pour l'enterrer (dimanche)

III : il revient chez lui, trouve sa famille massacrée, et part à la poursuite de l'homme (lundi matin)

— Temps perçu par José Alcancía :

1 : montée vers la maison (nuit de dimanche au lundi)
2 : crime, vers une heure du matin (lundi)
3 : arrivée au bord du fleuve au lever du jour (lundi)
4 : descend le long du fleuve (lundi)
5 : arrivé à l'encaissement du fleuve, il remonte (lundi soir)

— Temps perçu par le berger :

A : voit l'homme entrer deux fois dans le fleuve (lundi soir)
B : revoit l'homme qui tète une brebis (mardi matin)
C : revoit l'homme et passe la journée avec lui (mercredi matin)
D : trouve l'homme assassiné (jeudi matin)
E : va trouver le juge et fait son récit (jeudi)

Il y a donc trois lignes de temps parallèles que le récit développe successivement : c'est une structure temporelle qui rappelle la forme musicale de la fugue, fondée sur le décalage des lignes mélodiques et sur l'imitation, au moins partielle, du sujet par le contre-sujet. Le premier épisode est un chef-d'œuvre d'écriture contrapuntique, habile à rendre tout à la fois la successivité, le décalage et la simultanéité par l'entremêlement des séquences de l'homme (onze séquences) et de son poursuivant (neuf séquences). Dans le deuxième épisode, le berger reprend à son compte, et sur son propre registre, les deux lignes mélodiques : celle, visible, de l'homme, celle, invisible mais sournoisement présente, du poursuivant. Cette écriture du temps, admirablement complexe est sûrement la plus achevée de tout le recueil de nouvelles. Elle sera reprise et réinterprétée dans *Pedro Páramo*. Aux effets de sens déjà signalés, il convient d'ajouter une impression d'inquiétude et d'angoisse créée par la disparition et la réapparition successives des personnages, et surtout du poursuivant. Sa partition est presque entièrement écrite au passé et au futur : il se souvient de l'enterrement du nouveau-né, de son fils tué pendant son absence, de la scène où il tua lui-même le frère de José Alcancía, puis il projette dans un futur catégorique sa vengeance prochaine, la mort inéluctable de l'homme. Ensuite il disparaît, dans la mesure où, étant invisible au berger, il est absent de son récit. Pourtant on connaît son plan, on sait que, quelque part, il attend sa victime, on pressent son regard aux aguets. L'instant du crime ou de l'exécution de l'homme est, bien sûr, passé sous silence : trou d'ombre vers lequel coule inexorablement le récit, à la manière du fleuve-serpent qui

> se glisse dans son lit comme l'huile épaisse et sale. Et de temps en temps il avale une branche dans ses remous, en la gobant sans qu'on entende un gémissement.

La disparition du poursuivant laisse également flotter des inconnues : pourquoi a-t-il tant tardé à abattre l'homme alors que celui-ci était revenu sur ses pas presque immédiatement et qu'ensuite, pendant trois jours, il reste pratiquement au même endroit, celui où se trouve le berger ? Certes, il l'a dit, il n'est pas pressé :

> Demain tu seras mort ou peut-être après-demain ou dans huit jours. Le temps n'importe pas. J'ai de la patience.

Ces flottements, glissements et imprécisions sont une des caractéristiques essentielles du temps dans « L'homme ». Induits par la structure fuguée, par les changements de perspective, ils contribuent à dérouter le lecteur et, en même temps, l'obligent à un travail de reconstruction, inévitable devant le puzzle du récit.


## Le corps et la voix

L'homme est le seul des personnages qui soit présent dans les deux épisodes et encore est-il vu de façon si différente qu'il ne paraît pas le même.

Dans le premier épisode apparaissent, à travers leurs soliloques respectifs, deux personnages, l'homme et le poursuivant. Outre ces personnages présents dans deux espaces-temps différents, sont évoqués par eux des personnages qui ont un rôle dans le drame qui se joue :

Les membres de la famille Urquidi massacrés par l'homme : on sait qu'il y a un fils auquel son père demande pardon pour ne pas avoir été là au moment du crime :

Je n'étais pas avec toi. Voilà tout. Ni avec elle. Ni avec lui.

Cette énumération (toi, elle, lui) signifie-t-elle qu'il y avait trois personnes dans la maison ? Cela recouperait l'autre allusion au massacre :

Quand il arriva au troisième, il versait des flots de larmes.

Là encore le texte reste imprécis : on sait qu'il en a tué au moins trois, peut-être plus, parmi lesquels au moins un enfant. La mère était-elle dans la maison, ou était-elle à l'enterrement avec le père ? Autant de questions auxquelles le texte ne permet pas de répondre, sans doute parce qu'elles ne sont pas essentielles, mais aussi pour obéir à ce besoin structurel de laisser dans l'ombre ou la pénombre des pans entiers de l'histoire, comme dans une pièce éclairée à dessein pour mettre en lumière certains objets et laisser à peine en deviner d'autres.

Le second personnage évoqué appartient à l'autre famille, celle des Alcancía : c'est le frère tué par Urquidi « *face à face* », et que son frère vient maintenant venger lâchement, nuitamment « *comme une méchante vipère* ». L'allusion à ce frère tué précédemment est importante dans la mesure où elle fait du crime de José Alcancía une vengeance, qui à son tour sera vengée par son exécution. On peut ainsi penser que la mort du premier frère était peut-être déjà une vengeance, et qu'un jour le fils de José Alcancía vengera son père. La chaîne infernale de la violence, la loi du Talion, la succession fatale de la mort violente, obsédantes dans l'œuvre de Juan Rulfo, prennent dans cette nouvelle une particulière exemplarité à cause de l'extrême dépouillement anecdotique qui lui donne une valeur de grande généralité.

Urquidi, dont le nom de famille n'est donné que par

le berger, vers la fin de la nouvelle, est désigné dans le premier épisode par des périphrases : « *celui qui le suivait, celui qui le poursuivait, le poursuivant, celui qui allait derrière lui, celui qui était assis à attendre* ». Toutes ces expressions concernent le rapport des deux personnages, et plus précisément le rôle de meurtrier-justicier de Urquidi, de même que son nom n'est pas vraiment le sien, mais celui de sa famille : « *la famille des Urquidi* ». C'est donc un personnage peu individualisé, pris dans une relation de clan opposé à un autre clan. Ainsi ses regrets vont à son fils, envers lequel il se sent en faute, puisqu'il est en quelque sorte mort à sa place :

> Il est venu me chercher. Vous, il ne vous cherchait pas, simplement c'était moi le but de son voyage.

Les caractéristiques que je viens de souligner sont importantes pour l'interprétation de la nouvelle car elles situent le rapport de violence non sur le plan individuel mais sur le plan social, comme affrontement « *tribal* », non comme réaction passionnelle mais comme comportement social obligé. De là que les sentiments exprimés ne soient pas la douleur et l'emportement qu'elle justifierait, mais la froide résolution, le patient calcul.

Pris lui aussi dans le mécanisme infernal de la vengeance tribale, l'autre personnage n'est pas, comme on l'a trop souvent écrit, le double inversé du poursuivant. Le texte, par la façon dont il le nomme, lui donne une valence à la fois très générale, puisque très peu marquée, et très particulière puisque d'emblée il est désigné sous article défini : « *Les pieds de l'homme...* ». Pendant tout le premier épisode il n'est pas désigné autrement si ce n'est dans un des derniers soliloques du poursuivant, celui où il rappelle qu'il avait lui-même tué le frère de José Alcancía. Ce nom, prononcé une seule fois, mérite quelque commentaire. Par l'abondance des voyelles ouvertes, le patronyme s'oppose à celui, plein de voyelles fermées, de Urquidi. Sa parenté phonique avec le verbe « *alcanzar* » (rattraper) n'est probablement pas fortuite dans une histoire où un homme est poursuivi et rattrapé. Phoniquement Alcancía est une victime désignée puisqu'il est « *ouvert* », c'est-à-dire démuni, sans défense, exposé, et que de plus il est condamné à être rattrapé.

A ces caractéristiques données par le nom se rattachent certains traits épars dans le texte : une certaine indécision qui l'amène au découragement sur la longue route qui conduit à la maison :

> Il commença à perdre courage lorsque les heures s'allongèrent et que derrière un horizon il y en avait un autre et que la colline par où il montait n'en finissait pas.

Un manque d'assurance sur ce qu'il doit faire qui l'amène à regretter ses actes :

> « Je n'aurais pas dû tous les tuer » répété trois fois.
> « Je n'aurais pas dû sortir du sentier ».

Avant de se résoudre à la vengeance il a longuement tergiversé puisqu'il a attendu un mois, alors que Urquidi se met immédiatement à sa poursuite. Dès qu'il a tué, le remords commence à lui peser comme un fardeau, comme « *une enflure bizarre* », comme une tâche dont il doit sûrement porter un signe visible pour les autres. Quand il tue, il le fait dans l'affolement, dans le noir pour ne rien distinguer. Il est très loin de la froide détermination de son poursuivant qui le juge peureux et sournois parce qu'il pleurait et tremblait en assistant au meurtre de son frère. Pendant qu'il tue il verse des flots de larmes, et quand il parle au berger de sa femme et de ses enfants, il ravale ses sanglots, ou les laisse couler en ruisseaux. Quand il va tuer le meurtrier de son frère il part avec sa seule machette — qui n'est pas à proprement parler une arme — et, dans son angoisse, il s'en sert pour dégager son chemin des herbes et des branches, avant de s'apercevoir que, ce faisant, il en abîme la lame. Après le crime, il abandonne sa machette avec horreur et reste ainsi complètement inerme : le berger remarque qu'il n'a « *ni machette ni aucune arme. Seulement la gaine vide qui pendait à sa ceinture, orpheline* ».

Cet air orphelin est la caractéristique essentielle de l'homme tel que le voit le berger : il est couvert de boue, en haillons, maigre, décharné, désorienté, affamé. Toute sa détresse s'exprime symboliquement dans ce geste par lequel il se jette sur une brebis et se met à la téter désespérément. C'est pourquoi le berger qui a bien vu que c'était un fuyard, n'a jamais eu peur de lui, mais bien plutôt pitié, et il n'arrive pas à croire qu'il ait pu massacrer toute une famille.

Avant d'être réduit à cet état, l'homme est apparu, au début du récit, sous un autre aspect. Les deux premiers paragraphes, magistrale ouverture, focalisent l'attention du lecteur sur les pieds de l'homme décrits d'abord par le narrateur impersonnel, puis imaginés par le poursuivant d'après les traces qu'ils ont laissées. L'animalisation des pieds, leur crispation sur le chemin qui monte, l'insistance sur les parties les plus dures des pieds (les callosités du talon, les ongles qui râclent les pierres) expriment sans équivoque la dureté du cœur de l'homme, déterminé au meurtre. Pourtant le poursuivant, déchiffrant les traces, y perçoit au contraire les défauts, les tares qui sont déjà les signes visibles pour lui, de la faiblesse de l'homme. Non seulement les pieds plats et l'absence du pouce gauche sont des signes d'identification évidents, mais en outre sont-ils des marques de la faiblesse psychique de l'homme, qui va le conduire à sa perte.

Comme les héros mythologiques qui portaient sur leurs pieds les signes de leur faiblesse (Achille, Vulcain, Œdipe), l'homme aux pieds affaissés et mutilés laisse lire sur le sable les marques de sa faute, de son péché. Le pouce gauche qu'il s'est coupé lui-même sans même s'en apercevoir est explicitement rapproché, dans son discours, du poids de la faute qu'il porte : auto-mutilation symptomatique d'une faute antérieure à toutes les fautes repérables. Cette faute antérieure entraîne et justifie toutes les autres en les banalisant, en les rendant inévitables, fatales.

Quelle est donc cette faute première qui pèse sur le monde fictionnel de Rulfo comme une malédiction ? répondre « *le péché originel* » est une façon d'éluder la question puisque cette formulation est elle-même symbolique. Notre texte propose une lecture à la fois littérale et métaphorique de cette faute antérieure au crime de l'homme : c'est le meurtre de son frère par l'autre, son poursuivant. Or c'est bien ce meurtre qui va entraîner le

50

sien, qui, à son tour, va entraîner celui de l'homme qui est assis à l'attendre. C'est donc une faute commune, partagée, tribale ou sociale, comme on voudra, mais qui enferme chaque individu dans le mécanisme de la violence partagée, le rend malgré lui partie prenante d'un destin collectif de meurtres et de vengeances.

Il est aisé d'apercevoir les implications historiques que peut avoir cette interprétation si l'on songe à la période qui a traumatisé à la fois le Mexique et Juan Rulfo.

Dans cette perspective, le poursuivant est bien le double — le même — de l'homme puisqu'il est pris dans le même destin ; en le tuant il s'identifiera à cette partie de l'homme qui le poussait à l'auto-destruction et que l'on peut appeler la conscience de la faute. L'engloutissement du personnage du poursuivant dans la partie immergée du texte (deuxième épisode) ne laisse pas d'être énigmatique. Sur le plan anecdotique elle peut s'expliquer, mais il n'en reste pas moins qu'elle nous laisse avec la seule présence d'une voix. On aura en effet observé que dans le premier épisode le poursuivant n'apparaît qu'à travers ses paroles, le narrateur se bornant à lui attribuer la réplique par une brève notation. Une seule fois la notation est plus longue et concerne précisément la voix :

> Il entendait sa voix, sa propre voix sortant doucement de sa bouche. Il la sentait sonner comme une chose fausse et dépourvue de sens.

Si « *celui qui allait derrière lui* » est une voix, ce ne peut être que la voix de la conscience, et cette voix est fausse et dépourvue de sens, parce qu'elle dit des paroles de consolation au fils qui est déjà mort à cause de son père, parce qu'il n'y a pas de consolation possible dans ce monde de violence régi par la conscience de la faute.

En tant que personnage, le berger a un rôle important et indissociable de sa fonction de narrateur. La situation de narration évoquée par le deuxième épisode est une scène entre le berger et le juge (« *monsieur le licencié* ») au cours de laquelle le berger, venu déclarer qu'il avait trouvé un homme mort au bord du fleuve, raconte comment il avait vu cet homme, ce qu'il avait fait, ce qu'il avait dit.

Il s'agit d'un dialogue tronqué d'où les répliques du juge sont effacées : d'après les allusions du berger on peut deviner la teneur de ces répliques effacées. Le juge reproche au berger d'avoir « *caché* » l'assassin et le considère coupable au point de le menacer de la prison, alors que le berger ne savait pas qui était cet homme et ce qu'il avait fait. A travers ces vagues menaces et les plaintes du berger, on peut penser qu'il va être lui aussi victime de la violence en chaîne, pris dans ce mécanisme sans avoir rien fait pour cela.

Le berger est un de ces personnages d'humbles paysans ignorants, témoins involontaires de choses qu'ils auraient mieux fait de ne pas voir, comme le vieil Esteban de « *En la madrugada* ». Amené à témoigner, il insiste sur sa condition de pauvre berger ignorant qui ne veut rien savoir, ni se mêler de ce qui ne le regarde pas. Pourtant le récit qu'il fait de ses rencontres avec l'homme témoigne d'une perspicacité et d'un sens de l'observation qui démentent ses protestations d'ignorance. Il perçoit l'homme avec curiosité puis commisération. Bien qu'il se dise peureux, il n'exprime aucune crainte devant ce personnage en haillons, efflanqué, affamé, désorienté, il répond même avec un humour insolent à sa première question. Son langage est émaillé de vocables et d'expressions qui connotent le parler paysan, mais il ne faut pas s'y tromper, Rulfo recrée de toutes pièces un langage qui se désigne lui-même comme parler paysan, mais qui, par sa densité, sa saveur poétique, l'acuité de sa logique, ne saurait passer pour une imitation du langage réel des paysans.

La fonction du berger est avant tout celle de témoin, certes, mais il n'a pas un regard neutre, et à travers lui le personnage de l'homme prend un aspect très différent de celui qu'il avait dans le premier épisode. L'homme qu'il donne à voir est un homme pitoyable, fuyard misérable qui fuit la conscience de sa propre faute et non un poursuivant dont il ignore totalement la présence. En donnant cette vision du coupable, le berger plaide inconsciemment en sa faveur devant le juge : il ne peut croire que ce mendiant, exilé loin des siens — comme tous les criminels bibliques —, inerme et affamé puisse être le même que le criminel sans pitié qui a massacré toute la famille Urquidi.

Le personnage du berger a donc à la fois une fonction informative, puisqu'il termine le récit abandonné par le narrateur impersonnel, une fonction testimoniale, puisqu'il parle subjectivement de ce qu'il a vu et entendu, et une fonction éthique, puisque son témoignage est là pour dire que le pire criminel est aussi un homme pitoyable et digne de commisération. Que ce personnage soit un berger ne saurait nous surprendre : la figure biblique du berger, depuis Abel jusqu'à Jésus est symbolique de la mansuétude, de l'innocence et du témoignage. L'introduction de ce personnage-narrateur a donc une signification fondamentale pour l'ensemble de la nouvelle : elle fait basculer la vision que donnait le premier épisode du personnage de l'homme. Le criminel animalisé et abject se double d'une victime pitoyable. Ce retournement met en évidence la force du piège où sont pris irrémédiablement poursuivi et poursuivant, symbolisé par le fleuve-lacet.

## La parole et la faute

La fonction narratrice obéit, elle aussi, au principe de binarité : deux formes de narrateur, et, à l'intérieur de chaque forme, un dédoublement second.

Dans le premier épisode un narrateur impersonnel doublement caractérisé : il fait alterner les séquences centrées sur l'homme et les séquences centrées sur le poursuivant, à la façon du « sujet » et du « contre-sujet » dans une fugue ; il fait alterner la modalité discursive (paroles des deux personnages) avec la modalité descriptive. Le poursuivant est marqué par une forte prévalence de la modalité discursive, au point qu'il est essentiellement *une voix* ; l'homme est décrit comme un *corps en mouvement* (les pieds, l'activité des bras, la bouche, la sueur, les larmes, ses traces dans le sable, sur le chemin, dans la terre meuble, au bord du fleuve), il est mis en rapport étroit avec l'espace, décrit lui aussi avec abondance et précision : le chemin, la végétation, l'air, le ciel, le rivage du fleuve, le courant. Il y a donc, contrairement à l'impression donnée par l'alternance régulière des deux séries de séquences, un grand déséquilibre dans la focalisation des deux personnages : d'une part un corps fortement inscrit dans l'espace, de l'autre une voix qui vient derrière. En s'appuyant sur ce traitement si particulier du couple poursuivant/poursuivi on pourrait dire que, par-delà l'anecdote, le texte suggère symboliquement un seul personnage, l'homme accablé par la faute, poursuivi par la voix de sa conscience et se prenant lui-même au piège d'un auto-châtiment. Cette interprétation justifierait pleinement le titre de la nouvelle et serait assez emblématique de la vision rulfienne de la vie.

Il paraît superflu, tant la chose est patente, d'insister sur la remarquable fonctionnalité des descriptions de l'espace. Non seulement il n'y a pas un détail insignifiant, mais on pourrait dire qu'il y a une totale saturation symbolique. Cette caractéristique, commune à tous les virtuoses de la nouvelle parce qu'elle est indispensable à la densité du genre, acquiert chez Rulfo une force poétique tout à fait étonnante. Je prendrai un seul exemple, celui de la brève description qui précède l'instant du massacre :

> Il arriva à la fin. Rien que le ciel nu, cendré, à moitié brûlé par la nuit ennuagée. La terre était tombée de l'autre côté.

Le crime qui va avoir lieu est déjà totalement exprimé dans ce ciel nu et dévasté, tandis que la terre a basculé comme le destin de l'homme va basculer irrémédiablement vers la mort. Tout se joue sur ce sommet, point climax de l'action, à partir duquel va commencer la descente vers la mort, vers ce fleuve-piège que l'homme ne pourra pas traverser.

Le narrateur impersonnel n'a pas un point de vue omniscient : s'il est vrai qu'il a une vision extérieure/intérieure de l'homme, il ne livre ni ses intentions criminelles, ni ses motivations. En fait, l'essentiel de l'information passe par les soliloques des deux personnages : retours en arrière et anticipations fournissent la charpente anecdotique des trois crimes successifs. Le narrateur décrit les faits et gestes de l'homme et son environnement, les premières séquences sont narrées dans l'ordre chronologique jusqu'à l'arrivée de l'homme devant la maison, là se produit une perturbation qui marque l'accomplissement du massacre : les deux séquences suivantes, celle du poursuivant et celle de l'homme, se situent après l'acte :

« Il a fait du bon travail. »
« Je n'aurais pas dû les tuer tous. »

Ce n'est qu'une fois que le lecteur est au courant de l'acte accompli que le narrateur raconte la scène du massacre. Ce détour narratif est le signe de l'horreur, du recul devant l'horreur, comme si c'était impossible à raconter avant que quelqu'un d'autre ait fait le premier pas. La narration du massacre porte tous les signes de l'horreur sacrée : l'homme fait trois fois le signe de la croix avant de commencer, il répète deux fois une demande de pardon à l'adresse des victimes et il verse des torrents de larmes. Il accomplit cet acte horrible non sous l'empire de la haine ou de la cruauté, mais comme un crime rituel auquel il serait contraint par une volonté supérieure. De cette attitude de l'homme soulignée par le narrateur impersonnel, on pourrait déduire que le fait qu'il soit venu pour la vengeance juste le jour où sa victime était absente, alors qu'elle l'avait attendu nuit et jour depuis un mois, est le signe de l'acte manqué, signe du refus intérieur, comme si l'homme ne se résolvait au crime que pour obéir à une force qui le dépasse et non par volonté propre. Cet acte manqué implique qu'il se livre lui-même à la vengeance de l'autre qui, s'il n'avait pas été absent, n'aurait pu le poursuivre. On peut également observer que la façon de relater le crime est en harmonie avec l'horreur sacrée que ressent l'homme au moment de l'accomplir.

Comme on l'a observé, le poursuivant apparaît presque exclusivement à travers les fragments de son soliloque. Dépourvu de corporéité, il est seulement la voix de la vengeance. Habité par la haine et la certitude patiente d'atteindre l'homme et de le tuer, il n'a pas de doute, de remords ou de pitié, uniquement le regret de n'avoir pas été là pour protéger les siens au moment fatidique. Il est marqué par la malédiction puisqu'il perd son nouveau-né, puis toute sa famille pendant qu'il est à son enterrement. La vengeance serait-elle la malédiction absolue ?

Le récit en narrateur impersonnel s'interrompt au moment où l'homme, s'étant aperçu qu'il ne pouvait pas continuer en aval, revient sur ses pas. A partir de là tout est consommé puisque le poursuivant a annoncé qu'il tuerait l'homme quand il reviendrait sur ses pas. Pourtant avant de se clore, le récit revient lui aussi sur ses pas jusqu'au moment du crime, avec une seconde version du massacre, version non plus horrible mais apaisée :

> Et ensuite il sentit que ce gargouillis-là était pareil au ronflement des gens endormis ; c'est pour ça qu'il devint si calme quand il sortit à la nuit de dehors, au froid de cette nuit ennuagée.

Ainsi se superposent, par-delà le décalage spatio-temporel, le massacre accompli par l'homme et sa propre mort annoncée, dans un apaisement unanime, comme si la mort était un sommeil délivré de toute angoisse.

Le passage au narrateur en première personne, après un blanc typographique, se fait abruptement. Un bref paragraphe sans marque de première personne assure la transition. Le changement de temps, du prétérit à l'imparfait, signale un glissement temporel qu'il est impossible de situer. Avec l'apparition de la première personne en position d'observateur (« *Je le vis* ») et le retour au récit au prétérit, on perçoit le changement de perspective narrative, sans comprendre la situation. Il faut attendre la fin du récit de la première « *rencontre* » et la nouvelle rupture d'isotopie temporelle pour avoir une vision d'ensemble de la situation de narration. Le passage au présent de narration ne se fait pas immédiatement, il est différé par une série de formes verbales exprimant l'indignation du berger qui a appris, *a posteriori,* ce qu'avait fait l'homme qu'il avait vu au bord du fleuve.

Il est clair que ce second épisode relance le récit d'une façon tout à fait nouvelle : non seulement par l'introduction de deux nouveaux personnages, par le changement de narrateur, de situation de narration et de perspective temporelle, mais aussi parce que tout cela laisse pressentir des rebondissements dans l'histoire. En fait, il n'en sera rien, le récit du berger va donner une autre vision de l'homme et de sa fin, mais sans modifier l'issue déjà consommée quand s'achève le premier épisode. Avec l'apparition du personnage-narrateur, ce qui change aussi c'est la manière de voir les événements et de les interpréter. Si le narrateur impersonnel restait extérieur à l'histoire, sans introduire d'interprétations si ce n'est par le détour des descriptions symboliques ou de l'organisation des séquences narratives, le narrateur personnel va au contraire multiplier les commentaires, soit directement :

> Il paraissait en fuite... Mais il n'avait pas l'air méchant.

soit par des descriptions ou des impressions :

> Je vis ses yeux qui étaient deux trous noirs comme de caverne... Je ne crus pas que c'était lui tellement il était méconnaissable.

En outre, les caractères du personnage du berger se répercutent dans sa façon de raconter : son ignorance quelque peu exagérée, ses déclarations de bonne volonté pour aider la justice, ses protestations devant les accusations de complicité du juge. Son art de conteur est remarquable : il va à l'essentiel, brièvement, sans anticipations qui compromettraient le suspense, sans retours en arrière qui casseraient la progression. Il ne parle de la mort de l'homme qu'à la fin, alors que ses « *si j'avais su ce qu'il avait fait je lui aurais écrasé la tête* » pouvaient laisser croire qu'il était encore vivant. Pas la moindre allusion au caractère criminel de la mort : il laisse à son auditeur le soin de conclure que ces trous dans la nuque ne peuvent être ni une mort naturelle ni un accident. Là encore la présence du poursuivant, complètement occultée, reste dans la zone du non-dit. L'ignorance du berger qui justifie le caractère partiel de son témoignage, est en fait un écho de la parcimonie informative du narrateur impersonnel : au total, une grande quantité de faits explicatifs, de motivations, de conséquences restent dans l'ombre. Une telle caractéristique n'est pas particulière à ce texte, elle est générale dans l'œuvre de Rulfo, dans les nouvelles, mais aussi dans *Pedro Páramo*. C'est une technique de focalisation que l'on pourrait comparer à certaine technique d'éclairage au théâtre lorsqu'un projecteur puissant éclaire une zone très réduite de la scène, alors que le reste est dans l'ombre. On pourrait aussi la comparer à un iceberg en dérive dont la partie émergée laisse deviner la masse immergée, gigantesque et redoutable. On pourrait encore la comparer à un lambeau de vêtement, à un fragment d'objet dont la totalité serait perdue. Peut-être cette technique narrative, aux effets de sens si particuliers, est-elle le résultat du travail d'élagage systématique dont Rulfo fait état dans de nombreuses entrevues. Quand on regarde les splendides photographies qu'il avait ramenées de ses missions à travers le Mexique, on se rend compte que le cadrage relève exactement de la même recherche.

Il est évident que par son titre même cette nouvelle suscite des lectures symboliques, mythiques ou allégoriques. Il convient néanmoins de ramener les choses à de justes proportions en signalant que désigner par « *l'homme* » le protagoniste d'une nouvelle est assez fréquent, on peut penser à Horacio Quiroga ou à Jorge Luis Borges. Pourtant il est vrai que dans l'œuvre de Rulfo c'est la seule nouvelle où le protagoniste est désigné de la sorte. On peut dire aussi que la thématique est très représentative de l'œuvre : les meurtres en chaîne, la violence, le remords, la culpabilité sont les obsessions majeures du monde rulfien. La présence d'un narrateur-témoin, personnage rustre, ignorant, mais non sans malice, est également une technique narrative caractéristique. Le symbolisme admirable des descriptions, l'utilisation des soliloques, le rendu de la simultanéité et du décalage, le magistral montage séquentiel qui préfigure *Pedro Páramo* font de cette nouvelle une pièce d'orfèvrerie. C'est aussi une des plus complexes par sa fragmentation, par les ruptures réitérées, par la multiplicité des perspectives, parce que l'activité de re-construction du lecteur est intensément sollicitée. Le travail d'élagage, si propre à l'œuvre quintessenciée de Juan Rulfo est ici particulièrement efficace : ce que l'on perçoit est un lambeau d'histoire avec lequel il est bien difficile de reconstituer le tout.

L'homme, poursuivi par la voix vengeresse de sa

conscïence avant même d'avoir accompli son crime, chargé du fardeau d'une faute antérieure à toutes les fautes commises, est peut-être d'abord l'homme historiquement inscrit dans une série interminable de violences tribales où chaque individu, pris au piège de la haine, de la vengeance, de la culpabilité était otage, victime et bourreau. Que cette situation historique, que le jeune Rulfo a souffert dans les dix premières années de sa vie, ait marqué indélébilement sa vision de l'homme n'a rien qui puisse surprendre. Il est évident que toute son œuvre est comme coagulée dans cette période tragique, plus fantasmée que vécue et, pour autant, d'une terrible prégnance. Extrapolée hors des circonstances historiques ou anecdotiques qui l'ont suscitée, la situation de cet homme traqué par l'angoisse d'une faute à laquelle il ne saurait échapper, prend des dimensions mythiques. Sa parenté avec les figures bibliques est diffuse, multiple et d'autant plus efficace. Il est oiseux de chercher des correspondances systématiques : l'homme n'est ni Adam, ni Caïn, ni le Christ, mais il a des traits évocateurs de chacune de ses figures, ce qui n'est guère surprenant.

Suggérer et taire, dire et effacer la trace de ses paroles sans en éteindre la musique, c'est un peu « *L'homme* », c'est un peu Juan Rulfo.

## « ANACLETO MORONES »

Cette nouvelle est, après celle qui donne son titre au recueil, la plus longue : elle compte quinze pages et ferme le recueil dans la seconde version. Elle raconte une histoire curieuse, mais surtout elle se détache dans l'ensemble du recueil par l'humour, leste et féroce, dont elle est imprégnée. Le personnage-narrateur, Lucas Lucatero, voit venir à lui dix femmes toutes vêtues de noir et couvertes de scapulaires : il les connaît, ce sont les bigotes de la Congrégation du village d'Amula, où vivait un certain Anacleto Morones, que ces femmes tenaient pour un saint. Elles viennent justement demander à Lucas de témoigner pour obtenir la béatification de celui qui fut d'abord son patron puis son beau-père. Lucas s'y refuse et raconte toutes les turpitudes du « saint » ; les femmes, outrées, s'en vont progressivement jusqu'à ce qu'il n'en reste plus qu'une. Lucas la convainc sans peine de coucher avec lui, sans qu'elle se doute que le « saint » est enterré dans la basse-cour, assassiné par son gendre.

L'histoire par elle-même ne prête guère à rire, mais elle est racontée de manière à la rendre à la fois scabreuse et dérisoire. Tous les personnages sont successivement tournés en ridicule, y compris le personnage-narrateur.

### Du tragique au burlesque

L'anecdote centrale de la visite des femmes à Lucas est narrée linéairement ; à l'intérieur, soit dans le dialogue, soit dans le récit, viennent s'inscrire des retours en arrière qui complètent progressivement l'ensemble de l'histoire. La nouvelle est divisée, par deux blancs typographiques, en trois parties très inégales : la première comprend treize pages et embrasse toute la visite des femmes jusqu'à ce qu'il n'en reste plus qu'une ; la deuxième comprend une page et demie et raconte ce que font Lucas et Pancha après le départ des neuf femmes ; et la troisième est un bref épilogue de cinq lignes qui se situe à la fin de la nuit et clôt l'histoire par un dernier trait d'humour féroce.

L'élément dynamique qui fait progresser le récit dans la première partie est la volonté opposée des deux groupes de personnages : d'un côté les femmes qui veulent convaincre Lucas de venir témoigner, de l'autre côté Lucas qui veut se débarrasser de ces mégères et multiplie les stratagèmes. Cette lutte se déroule en dix-huit séquences qui sont autant d'escarmouches d'où le personnage-narrateur sort vainqueur. La deuxième partie paraît consacrer sa victoire puisque non seulement il réussit à se débarrasser des bigotes, mais qu'il en garde une pour son plaisir et pour la convaincre de fausse pudibonderie. Pourtant, le bref épilogue retourne complètement la situation et montre que ces bigotes, aussi fausses que le « *saint* » qu'elles défendent, ont trompé Lucas de bout en bout.

Le début de la nouvelle est surprenant dans la mesure où il mêle curieusement le sérieux et le burlesque. Le premier paragraphe décrit la procession des dix femmes, vêtues de noir, chantant et priant avec leurs grands scapulaires noirs, couvertes de sueur. La vue de cette lugubre procession déclenche chez le personnage narrateur une étrange réaction : il se cache au fond de sa basse-cour, le pantalon baissé, en attitude de défécation. Cette attitude feinte, qui a pour but d'éloigner les bigotes, reste sans effet : elles s'approchent en se signant et l'entourent serrées comme « *une botte* ». La chute brutale du registre tragique vers le burlesque scatologique — si rare dans l'œuvre de Rulfo — laisse le lecteur d'autant plus perplexe qu'il ne sait rien des intentions de ces femmes ni de leur rapport au personnage-narrateur. En fait, tout l'art du conteur dans cette nouvelle va consister à retarder, à différer l'information par une série de stratagèmes comiques ou dérisoires. Ainsi c'est seulement à la sixième page que les femmes diront enfin pourquoi elles sont venues trouver Lucas, et qu'il sera enfin question d'Anacleto Morones. Si le personnage-narrateur multiplie les manœuvres dilatoires c'est pour gagner du temps en espérant que ces femmes partiront à l'approche de la nuit. Et si les femmes ne se pressent pas de dire pourquoi elles sont venues, c'est dans l'espoir d'amadouer Lucas, de gagner ses bonnes grâces pour qu'il accepte leur requête. Ainsi vont se dérouler une série d'actions verbales ou gestuelles ayant pour but de faire passer le temps. Ces action dilatoires vont avoir sur le lecteur un effet de suspense : sa curiosité, piquée par l'étrange scène liminale, va être tenue en haleine d'épisode en épisode, d'autant que le malaise du personnage-narrateur va croissant sans que l'on sache pour quelles raisons.

En réalité, ces épisodes dilatoires ont tous une autre fonction. D'abord une fonction informative : on apprend peu à peu des choses sur certaines de ces femmes, sur Lucas et sur leurs rapports : non seulement ils se connaissent fort bien, mais Lucas a été le fiancé de l'une d'elles qu'il a ensuite abandonnée enceinte (épisodes 2 et 4). L'épisode des œufs (épisode 3) tourne au comique à cause des allusions malicieuses et scabreuses de Lucas, mais, en outre, il introduit un motif qui aura son importance : celui du tas de pierre qui a « *figure de sépulture* » et que Lucas éparpille fébrilement. Puis les femmes commencent à partir : d'abord l'ancienne « *fiancée* » de Lucas qui s'en va en pleurant à cause des souvenirs qu'il a réveillés avec malice. C'est le début d'une série de départs qui va progresser parallèlement à la progression de l'information ; plus on saura de choses, moins il restera de femmes : dix, puis neuf, puis cinq, puis quatre, puis deux, puis une. C'est avec Pancha, la première qui avait parlé individuellement, que va se clore, par un retournement inattendu et burlesque, le récit.

### Une tombe bien cachée

La scène se passe dans le « *rancho* » de Lucas Lucatero, propriété apparemment écartée des villages environnants dont les noms sont cités. Les femmes viennent de Amula qui est aussi le village où vivaient Lucas et Anacleto Morones, quelques mois auparavant. Tout débute dans la basse-cour où il y a des poules, deux lapins en liberté et le mystérieux tas de pierres. On peut observer que la basse-cour, qui est l'endroit le plus reculé de la maison où Lucas se réfugie pour échapper aux femmes, est le premier endroit où elles entrent, et c'est aussi l'endroit où se trouve précisément ce que Lucas veut leur cacher : la sépulture d'Anacleto. Ensuite Lucas va faire asseoir les femmes dans le corridor en apportant des chaises : de là, il va faire des allées et venues vers la basse-cour et vers la cuisine. On ne sait à quelle heure arrivent les femmes, mais après un grand moment quand Lucas va à la cuisine pour manger un morceau, il est trois heures de l'après-midi. Les neuf femmes partent avant la nuit, et quand le soir tombe, Pancha aide Lucas à remettre les pierres en tas. Ensuite il y a un blanc chronologique, qui correspond au second blanc typographique, et l'épilogue se situe à l'aube du jour suivant.

L'espace-temps de l'anecdote centrale a donc une structure très simple. A l'intérieur de celle-ci viennent s'inscrire des retours en arrière qui informent sur le passé de Lucas, de certaines des femmes présentes, et surtout sur « *la vie et les miracles* » d'Anacleto Morones. La situation chronologique de l'histoire peut se repérer approximativement par l'allusion de Lucas qui dit qu'il ne s'est pas confessé depuis quinze ans, depuis que les Cristeros l'avaient obligé à le faire. Comme la Guerre des Cristeros eut lieu entre 1926 et 1929, l'histoire se situe entre 1941 et 1944.

## Le saint, les dévotes et la crapule

Le personnage-titre est, curieusement, absent, entièrement reconstruit par les discours des femmes et de Lucas. Ce caractère est d'autant plus intéressant que c'est un personnage double et controversé : un saint homme pour les bigotes de sa Congrégation, un faussaire crapuleux et luxurieux pour Lucas.

Son nom ne manque pas d'intérêt. Anacleto, du grec « ana » (en arrière) et « caleo » (appeler), c'est « *le rappelé* », celui que l'on rappelle, celui dont on évoque la mémoire. C'est, en outre, un nom qui ressemble par son étymologie, à Paraclet, mot utilisé par Saint Jean pour désigner le Saint-Esprit ou le Christ. Morones, pluriel de « morón » qui désigne un monticule de terre, est en affinité avec l'aspect terrien du personnage, son goût pour le commerce charnel, pour les biens de ce monde. Ses dévôtes l'appellent « le Saint Enfant », en l'assimilant à l'Enfant Jésus, lui attribuent pureté, sainteté et pouvoirs miraculeux. Elles interprètent tous ses actes avec les yeux de la foi : s'il voulait auprès de lui de jeunes vierges la nuit, c'était pour garder son sommeil, s'il les caressait toute la nuit, c'était pour les consoler, et si les gens disaient du mal de lui c'était parce que les saints doivent être persécutés, jetés en prison et s'en évader comme Saint Pierre.

Pour Lucas Lucatero qui l'a connu marchand de saints, de foire en foire, avant qu'il ne commence sa propre carrière de saint homme, c'est un imposteur, habile, sans scrupules, le « *démon vivant* ». Il décrit comment il a initié sa carrière en leurrant froidement les crédules pèlerins. Il était grand amateur de femmes, et surtout de jeunes vierges :

> Il a laissé sans vierges toute cette partie du monde.

Grand luxurieux, grand imposteur, il a donné à Lucas sa fille enceinte de ses œuvres et quand il s'est évadé de prison il a essayé de lui reprendre tous ses biens. C'est alors que Lucas, qui avait été à bonne école, le tue et l'enterre sous un tas de pierres afin qu'il ne puisse se relever pour lui créer de nouveaux problèmes.

Il s'agit en fait de la figure, assez courante dans les pays très religieux, du « *saint homme* » qui est souvent un faux prophète, habile à gruger les gens simples et superstitieux. Mettre en scène un personnage de ce type est-ce critiquer la religion ou l'Eglise ? Il serait abusif de l'affirmer, Anacleto n'est pas rattaché à l'Eglise, et on ne sait guère quelle attitude le curé du village avait adoptée envers lui, sans doute une réserve prudente comme en témoigne sa recommandation de chercher des témoins à la vie passée du saint homme. Cependant, il devait craindre de s'aliéner les bigotes du village s'il prenait ouvertement parti contre leur saint. Seuls l'apothicaire et le juge du village disaient ouvertement du mal d'Anacleto, au point que le juge le fit emprisonner, sans doute pour des motifs autres que religieux. Ce qui est évident c'est que la vision que donne Lucas du personnage, comparée à celle qu'en donnent les bigotes met en relief les abus auxquels la crédulité et le fanatisme religieux des gens peuvent donner lieu. Comme dans la nouvelle « *Talpa* », mais sur un ton plus humoristique, ce qui est brocardé ce sont les excès des manifestations de religiosité qui, bien souvent, occultent des motivations fort peu catholiques. Le personnage du Père Rentería dans *Pedro Páramo* est d'une toute autre portée critique, et qui met directement en cause le clergé.

Il reste que le personnage d'Anacleto Morones, à travers la double vision contradictoire qui en est donnée, a quelque chose de Buñuel, de même que cette première scène dans la basse-cour où est enterré le saint homme, où un chœur de femmes en noir couvertes de scapulaires et de sueur se pressent comme un vol de corbeaux autour d'un homme au pantalon baissé, en attitude de défécation.

Le chœur des bigotes constitue un personnage collectif, même s'il est vrai que certaines d'entre elles sont individualisées et en particulier la Pancha, celle qui reste dormir avec Lucas. Pour Lucas, elles sont vieilles et laides, « *filles du démon* ».

> Vieilles toupies ! Pas une seule de passable. Toutes à la cinquantaine bien passée. Fanées comme des grosses fleurs ratatinées et sèches. Pas même de quoi choisir.

Pourtant, malgré leur aspect repoussant, Lucas ne va pas cesser de faire, dans la conversation, des allusions scabreuses à leur sexualité passée ou présente, donnant ainsi une vision surprenante de ces dévotes. En fait, toute leur longue conversation va tourner autour de la sexualité de ces femmes, de la fille d'Anacleto, et du saint homme lui-même. Toutes ces femmes ont des situations marginales : abandonnée par le fiancé, orpheline, concubine, toutes avaient trouvé auprès d'Anacleto consolation et appui. La façon dont elles parlent de leurs rapports avec lui est souvent ambiguë, d'autant plus que Lucas ne laisse, quant à lui, planer aucune ambiguïté sur ce que son ancien patron cherchait auprès des femmes. Le décalage entre les deux types de discours produit un effet de comique scabreux qui constitue la note dominante de ce texte. Pourtant ce n'est qu'à l'épilogue qu'on va comprendre la nature exacte des rapports qu'entretenaient ces femmes avec leur saint homme. Quand, après avoir couché avec Lucas, au petit matin Pancha lui fait cette réflexion, enfin dénuée de tout fard :

> — Tu es une calamité Lucas Lucatero. Tu n'es pas affectueux pour deux sous. Tu sais qui se montrait amoureux avec nous ?
> — Qui ?
> — Le bon Anacleto. Lui, il savait faire l'amour.

Il apparaît ainsi que la Congrégation des dévotes était aussi le harem d'Anacleto Morones, et que sa vertu la plus miraculeuse était celle qu'il démontrait au lit. Evidemment cet épilogue est intéressant à plus d'un titre. D'abord parce qu'il dissipe les dernières ambiguïtés qui pouvaient subsister quant au personnage, mais aussi parce qu'il montre que ces dévotes n'étaient pas dupes et que leur pudibonderie, leur fanatisme et leur candeur étaient de pure façade. Dans le dialogue entre les bigotes et Lucas, les plus candides n'étaient pas les femmes qui ont très bien réussi à faire croire à l'homme qu'elles étaient innocentes. Si bien que, dans une lecture seconde, on peut s'interroger sur le sens réel de cette phrase :

> — Nous espérions que tu continuerais son œuvre. Tu as tout hérité.

Une lecture malicieuse, dans la tonalité du texte, pourrait nous induire à penser que ces dévotes en noir pourraient bien être des veuves qui cherchent un remplaçant capable de prendre la relève dans ce mariage collectif qu'elles avaient contracté avec leur saint homme. Lucas Lucatero, fils « spirituel » d'Anacleto Morones aurait dû faire l'affaire. C'est pourquoi la Pancha qui reste la dernière et se sacrifie pour mener « le dernier combat », était peut-être bien mandatée pour faire un essai : apparemment il n'a pas été concluant !

66

## Lucas le hâbleur

Le personnage-narrateur est un cas unique dans la galerie des personnages de Rulfo par son caractère comique, malicieux, hâbleur. C'est peut-être le seul personnage qui échappe au tragique, même s'il est mêlé à des histoires qui auraient facilement pu être traitées dans le registre tragique.

Son nom est déjà facétieux par le redoublement du prénom dans le nom qui évoque des jeux enfantins avec les signifiants. Que Lucas soit le nom d'un des quatre évangélistes, et précisément de celui qui fait la plus grande place aux femmes qui entouraient Jésus (Marie, Marie-Madeleine, Marthe et Marie, la pécheresse), peut difficilement être une coïncidence. D'autant moins que ce que ces femmes veulent de Lucas c'est précisément qu'il porte témoignage sur la sainteté d'Anacleto.

Le personnage a un aspect picaresque indéniable : comme Lazarille, il était valet d'un maître habile et crapuleux, comme lui, il a appris les tours les plus pendables de son diable de maître, et il a fini par être plus malin que lui. On dit de lui qu'il est son héritier, presque son fils, d'ailleurs n'est-il pas devenu son beau-fils ? Il proteste qu'il a surtout hérité « *un sac de vices de mille judas et une vieille folle* » engrossée par son père. Pourtant il est clair qu'il lui doit son aisance économique et ce au prix d'un parricide très picaresque.

Lucas est incrédule et méfiant, médisant et insolent, il se plaît à scandaliser les bigotes par des allusions scabreuses et surtout en disant tout le mal possible d'Anacleto : il porte en somme un témoignage inverse de celui qu'on lui réclame : témoignage de la crapulerie et de la luxure de son beau-père. Il n'est pas lui-même un personnage très recommandable : il a abandonné sa fiancée après l'avoir engrossée, il a collaboré aux impostures d'Anacleto, il a la réputation de répandre des calomnies et de porter de faux témoignages, et pour finir il a tué son ancien patron pour éviter de lui rendre les biens qu'il lui avait confiés. Tous ces vices que l'on apprend par les femmes, mais aussi par ses propres aveux, n'ont pas l'air de lui causer des remords : la seule chose qu'il craint c'est qu'Anacleto, ce diable d'homme, ne trouve encore après sa mort un stratagème pour revenir sur terre lui causer d'autres tracas, c'est pourquoi il entasse les pierres sur sa tombe.

Cette ingénuité, chez un personnage si incrédule, n'est pas la seule : sa première réaction, devant l'arrivée des femmes en noir, est cocasse et tourne au comique scatologique ; c'est aussi un geste symbolique de l'effet que lui produit cette visite. Mais sa plus grande ingénuité ne se révèle qu'avec l'épilogue : après sa victoire sur les femmes, sans compter la satisfaction virile d'en avoir gardé une pour la nuit, la réflexion spontanée de Pancha est pour lui une double défaite : déconfiture de sa virilité, bien pâle comparée à celle de feu son beau-père, et défaite de sa malice qu'il croyait bien supérieure à celle de ces « vieilles toupies », qui l'ont pourtant berné avec leur pudibonderie et leur feinte candeur.

Que ce personnage soit aussi narrateur rend plus piquant encore le retournement satirique de l'épilogue. La dérision de soi-même, déjà patente dans la première scène est aussi un trait picaresque : le portrait qu'il fait de lui-même est certes celui d'une crapule, mais d'une crapule dérisoire. Il n'est pas jusqu'à l'épisode de la femme, catin préalablement engrossée, qui ne rappelle le Septième Traité du *Lazarillo de Tormes* où Lazare reçoit pour femme de son patron l'archiprêtre la servante-maîtresse dont celui-ci avait déjà abondamment fait usage pour toutes les tâches de la table et du lit. Il y ajoute, il est vrai, le petit condiment de l'inceste.

Le narrateur en première personne fait preuve, dans sa manière de raconter, de l'insolence et de la malice du personnage. Pas seulement dans la manière caricaturale de présenter le groupe des femmes et chacune en particulier, mais aussi par sa façon de retenir l'information. Il fait partager au narrataire sa propre ignorance du but de la visite des femmes, mais il ne dit ce qu'il sait qu'avec parcimonie, petit à petit, en étirant le temps comme le personnage le fait avec les femmes. On ne saura que bien tard, en même temps que lui, le but de la visite des bigotes, et encore bien plus tard, au moment où tout danger est écarté, pourquoi il craignait tant ces femmes, et le rapport du tas de pierres avec la visite de la Congrégation.

La prédominance du dialogue sur le récit, si fréquente chez Rulfo, permet de faire passer à travers les paroles des personnages le plus clair de l'information. La seule qui ne pouvait venir que du personnage-narrateur — l'assassinat d'Anacleto Morones — passe encore par le dialogue, un dialogue rapporté en style direct à l'intérieur de son récit. Comme toujours le dialogue est d'une grande densité, rapide, alerte, émaillé d'expressions et de proverbes paysans, souvent comiques dans leur contexte. Ainsi quand il revient de la cuisine et qu'il ne trouve plus que cinq femmes, il s'exclame :

— Tant mieux. Moins on est d'ânes, plus on a de maïs.

Tout le dialogue entre Lucas Lucatero et les femmes en noir est une véritable joute : les femmes essayent d'amadouer l'homme pour le convaincre de venir avec elles, et lui fait tout pour être désagréable afin de se débarrasser d'elles au plus tôt. Il essaye d'abord de les faire rougir par des allusions scabreuses à leur passé, puis il leur dit du mal de la fille d'Anacleto et du saint homme lui-même dans un tel crescendo d'horreurs que le réalisme le plus cru devient une charge burlesque. L'effet recherché ne se fait pas attendre : peu à peu les femmes, outrées par ce qu'il raconte, s'en vont. La sortie la plus théâtrale est celle de Filomena, dite « *la Morte* », qui pour manifester son dégoût, se met les doigts dans la gorge et vomit toute l'eau qu'elle a bue chez lui, « *mélangée de bouts de lardons et de grains de haricots* », puis, posant sur la chaise l'œuf que Lucas avait donné, s'exclame :

— Je ne veux même pas de tes œufs ! Je préfère partir !

Ainsi « *Anacleto Morones* » est une nouvelle tout à fait à part dans *La plaine en flammes*. Son caractère humoristique, voire burlesque, met une note insolite dans ce recueil éminemment tragique. La critique de l'œuvre rulfienne, pourtant si abondante, a très peu parlé de cette nouvelle ou alors de façon tangentielle, par le biais de la critique de la religion. C'est comme si cette note scabreuse et burlesque déparait l'ensemble, comme une fausse note. Pourtant Rulfo, si auto-critique, n'a jamais enlevé « *Anacleto Morones* » d'aucune édition, mieux, il l'a incluse dans une *Anthologie personnelle* publiée à Mexico en 1978.

Je crois pour ma part que l'humour de cette nouvelle est l'aspect complémentaire du caractère sombre et tragique des paysans du Jalisco, tels que les évoque Rulfo dans ses entrevues. Rulfo lui-même avait cette double apparence : un humour malicieux et mordant qui occultait souvent son air désemparé d'orphelin en détresse. L'intérêt de cette nouvelle est précisément de montrer la face cachée de l'œuvre rulfienne, pas moins profonde, peut-être pas moins désespérée que l'autre.

Curieux aussi ce personnage-narrateur tour à tour malicieux et dérisoire, picaresque porcher qui a su tirer profit de son diable de maître et s'enrichir à ses dépends. Sans doute est-ce le seul dans toute la galerie des témoins rustres et naïfs à être plus malin que naïf, plus incrédule que superstitieux. Il n'est pas inintéressant de voir que dans cette série d'identifications noires, il puisse aussi y en avoir une souriante et malicieuse. Parfois Rulfo sourit.

# PEDRO PARAMO

La lecture de *Pedro Páramo* est une expérience à la fois fascinante et déroutante. Ce roman, si modeste par ses proportions, est d'une telle densité qu'il requiert de la part du lecteur une très considérable activité. A quoi tient cette difficulté de lecture et l'impression d'inquiétante étrangeté ressentie à chaque page de la narration ? On a dit que *Pedro Páramo* était une œuvre de littérature fantastique, et c'est vrai qu'il ne manque pas d'arguments en ce sens, mais une classification n'explique rien et l'invocation de l'adjectif « fantastique » pose plus de problèmes qu'il n'en résoud. La cause la plus évidente de la difficulté de lire *Pedro Páramo* est une organisation très fragmentée qui hache la lecture et oblige le lecteur à une perpétuelle activité de mise en relation et de reconstruction. Il conviendrait donc d'essayer de comprendre ce qu'est cette organisation, comment fonctionne la narration et les conséquences qu'entraîne ce fonctionnement sur les divers éléments constitutifs du roman. Peut-être apercevra-t-on quelques-unes des raisons qui ont fait que ce petit livre tient une si grande place dans la littérature de langue espagnole de cette seconde moitié du XX<sup>e</sup> siècle.

Ce roman (1) qui ne comporte pas plus de quelque cent quarante pages de petit format ne présente aucune grande coupure : il n'est organisé ni en parties ni même en chapitres. Dans le continuum textuel des pauses assez fréquentes et rapprochées, marquées par des blancs typographiques de la valeur de deux interlignes, délimitent des unités narratives dont la longueur varie entre trois lignes et cinq pages. Les soixante-huit unités narratives, que nous appellerons séquences, ne correspondent donc à aucune unité traditionnelle telle que partie, chapitre ou paragraphe ; elles ne sont pas numérotées et ne se détachent pas de façon très nette de par la disposition typographique utilisée. Cependant, la séquence constitue bien une unité narrative qui entretient avec celle qui la précède et celle qui la suit des rapports qui ne sont généralement pas de linéarité. La fragmentation du texte et le principe de non-linéarité donnent au lecteur l'impression d'avoir affaire à un puzzle narratif dont les différentes pièces auraient été mélangées par une main distraite ou malveillante. Pourtant, un examen plus attentif montre que sous cet apparent chaos se tissent des fils qui organisent en profondeur la narration, que de séquence à séquence se nouent des rapports, souvent occultes, qui confèrent au récit une cohérence secrète mais extraordinairement efficace.

La ligne directrice de l'intrigue de *Pedro Páramo* est simple, elle s'énonce à la première page du roman : un fils qui a été élevé loin de son père, décide, à la mort de sa mère, d'aller à son village natal pour y retrouver son père. Séquence après séquence se construisent parallèlement l'histoire du père, de son adolescence à sa mort, et l'histoire du fils que l'on pourrait désigner provisoirement

---

(1) Toutes les références correspondent à la 9ᵉ edición, Fondo de Cultura Económica, Colección Popular 58, México 1968 (Primera edición : Letras Mexicanas, 1955). Les unités narratives que j'appelle séquences sont numérotées par moi de 1 à 68. Traduit en français par Roger Lescot en 1958. Actuellement aux Editions Gallimard, Collection L'Imaginaire, n° 38, 1979. Les deux numéros de page qui suivront les citations correspondront le premier à l'édition en espagnol, le second à la traduction.

comme son entrée dans le monde des morts. Entre ces deux histoires, situées dans des espaces/temps bien différenciés, se nouent des rapports particuliers à travers des personnages que le fils rencontre et qui ont tenu un rôle dans l'histoire du père. Mais une différence fondamentale sépare ces deux histoires et autorise à voir dans cette binarité une première charnière structurelle : l'histoire du fils est prise en charge par un narrateur en première personne qui s'identifie au personnage du fils, Juan Preciado, alors que l'histoire du père s'énonce sous narrateur non-personnel. Cette scission de la fonction narratrice détermine deux champs narratifs qui ont chacun leurs propres coordonnées spatiales, temporelles et actantielles dont on reparlera plus loin :

— Le Champ Narratif I qui raconte l'histoire du fils, Juan Preciado, par lui-même.

— Le Champ Narratif II qui raconte l'histoire du père, Pedro Páramo, avec un narrateur impersonnel.

Les deux champs narratifs s'imbriquent et s'interpénètrent, donnant l'image d'un puzzle.

Le champ narratif I présente à son tour une charnière, un pivot très évident situé à la séquence 35 qui correspond à la « mort » de Juan Preciado, à sa mise en terre et au début d'un nouveau mode d'existence, dans la tombe, aux côtés de Dorotea. Ce pivot ne constitue nullement le centre arithmétique du champ narratif I puisqu'il le divise en 19/6 séquences, mais il est important sous d'autres rapports que nous examinerons plus avant. Ce qui est le plus évident c'est que la séquence 35 apporte un changement brutal sur le plan actantiel puisque le protagoniste n'a plus dès lors qu'une activité contemplative, réduite au dialogue avec sa compagne de tombe, et à l'écoute des voix provenant des tombes environnantes. Parallèlement à ce changement, se produit une mutation dans la modalité d'écriture, car à la narration prise en charge par un narrateur en première personne succède un dialogue Juan Preciado/Dorotea, entrecoupé par les monologues d'autres personnages captés par le protagoniste.

En dehors de cette coupure de la séquence 35, le champ narratif I ne présente pas de sous-ensembles fonctionnels, il est rythmé par les rencontres successives du protagoniste avec des personnages dont il s'aperçoit après coup qu'ils sont morts. Les plus importants sont les suivants :

1 — Abundio Martínez, le muletier, demi-frère du protagoniste

2 — Edwiges Dyada, l'aubergiste, amie d'enfance de sa mère

3 — Damiana Cisneros, la vieille servante de Pedro Páramo, qui a vu naître Juan Preciado

4 — Donis et sa sœur, couple incestueux, ce sont les derniers habitants de Comala que voit Juan Preciado avant de se retrouver dans la tombe

5 — Dorotea, avec qui Juan Preciado se retrouve dans la tombe. Elle a été l'entremetteuse de Miguel Páramo, le demi-frère du protagoniste. Dorotea et Juan Preciado vont dialoguer à partir de la séquence 35.

Le champ narratif II est considérablement plus étendu que le I puisqu'il comprend 42 séquences contre 26 pour le champ narratif I. L'intrigue est beaucoup plus complexe et le nombre de personnages mis en œuvre beaucoup plus important. L'histoire de Pedro Páramo s'articule en cinq sous-ensembles d'étendue très inégale que l'on peut désigner ainsi :

1. Adolescence de Pedro Páramo.
2. Pedro Páramo devient le maître de Conala.
3. Vie et mort de Miguel Páramo.
4. Susana San Juan et Pedro Páramo.
5. Mort de Pedro Páramo.

On remarque donc que chacun des deux champs narratifs a une structure bien particulière, avec une dynamique propre qui ne se répète pas d'un champ à l'autre. Cela ne signifie nullement que chacun d'eux constitue une narration autonome, bien au contraire l'imbrication des champs narratifs figure le caractère indissociable de leur fonctionnement. Sans entrer pour l'heure dans l'extrême complexité de leur interpénétration, on peut signaler à titre d'exemple la vision du mariage de Dolores Preciado avec Pedro

Páramo présentée à la séquence 9 (champ narratif I) et la vision du même événement donnée à la séquence 21 (champ narratif II) ; ou encore la mort de Miguel Páramo racontée à la séquence 11 (champ narratif I) et à la séquence 38 (champ narratif II).

L'organisation narrative de Pedro Páramo apparaît assez peu conventionnelle : d'abord à cause de l'unité narrative de la séquence, qui rompt avec les moules romanesques ordinairement utilisés, et donne à la narration un tempo très particulier ; ensuite à cause du principe de non-linéarité, qui soustrait la narration aux lois de la logique rationnelle pour l'organiser selon des exigences plus secrètes et plus impérieuses. Si l'on examine les rapports qui unissent deux séquences qui se suivent dans le texte mais qui appartiennent chacune à un champ narratif différent, on peut apercevoir quelques-uns des mécanismes qui régissent le fonctionnement narratif.

Le premier cas de changement de champ narratif se produit entre la séquence 5 et la 6. A la séquence 5, Juan Preciado vient d'arriver à Comala et, comme le lui a conseillé son guide le muletier Abundio, il va chez Edwiges Dyada, l'aubergiste, avec qui il parle de sa mère. Après avoir entendu les étranges propos de la vieille femme, le héros se sent tout à coup accéder à un état tout à fait particulier, que l'on peut comparer à cet état fugace où l'on se trouve juste avant de s'endormir :

> Me sentí en un mundo lejano y me dejé arrastrar. Mi cuerpo, que parecía aflojarse, se doblaba ante todo, había soltado sus amarras y cualquiera podía jugar con él como si fuera de trapo (p. 15, p. 18).

La séquence 6, quant à elle, commence avec l'évocation des instants qui suivent la fin d'un orage : de même qu'à la tension et à l'angoisse de son arrivée à Comala succède pour Juan Preciado un état de détente et d'abandon total, de même la cour de la maison des Páramo retrouve un aspect de joie et de bonheur après la tourmente :

> Al recorrerse las nubes, el sol sacaba luz a las piedras, irisaba todo de colores, se bebía el agua de la tierra, jugaba con el aire dando brillo a las hojas con que jugaba el aire (p. 16, p. 19).

75

Un autre rapport se noue entre les deux séquences avec l'évocation par le jeune Pedro Páramo du souvenir de Susana, son amie d'enfance, partie de Comala : cette évocation fait écho à celle faite par Edwidges, de Dolores, son amie d'enfance, partie elle aussi de Comala. Ce rapport, encore évanescent à cet endroit du texte, va croître et multiplier au point de construire deux figures féminines tout à fait indissociables dans le fonctionnement romanesque, celles de Dolores Preciado et de Susana San Juan.

On citera encore un dernier rapport, peut-être le plus frappant et le plus significatif : les répliques qui terminent chacune des deux séquences, l'une de Juan Preciado, le fils :

— Iré. Iré después (p. 15, p. 18).

L'autre de Pedro Páramo, le père :

— Ya voy, mamá. Ya voy (p. 17, p. 20).

Que ce parallélisme soit un signe d'identification du fils à la figure paternelle et que cette identification se fasse à rebours, c'est-à-dire du père au fils et du passé vers le futur, peut nous mettre sur la voie d'un mode de fonctionnement de la narration. La progression d'une séquence à l'autre ne semble pas se faire selon des relations de contiguïté immédiate ou différée, mais plutôt selon des rapports de libre-association et d'analogie symbolique qui rappellent les mécanismes de fonctionnement du rêve ou de la mémoire, plutôt que ceux de la raison consciente. Il va de soi que ce caractère n'est nullement fortuit et qu'il est en rapport avec les structures symboliques mises en œuvre par la narration sur lesquelles nous aurons à revenir. Il est également évident que ce mode de fonctionnement du récit va avoir des conséquences cataclysmiques, tant sur l'organisation spatio-temporelle, que sur la fonction actantielle.

Je voudrais revenir encore sur la description, citée plus haut, de l'état de Juan Preciado à la fin de la séquence 5, au moment précisément où va se produire le changement de champ narratif, et où va commencer l'histoire de Pedro Páramo, c'est-à-dire — et c'est pour cela que ce texte est important — au moment où se joue le schisme narratif qui va instituer le roman dans sa particularité. Le personnage qui est en cause est fondamental, moins par sa fonction actantielle, que parce qu'il est la figure avec laquelle s'identifie l'instance narratrice en première personne. L'Etat décrit ici est un état de renoncement au contrôle du conscient, d'abandon total à des forces inconnues, état qui peut faire penser à l'instant où l'on s'abandonne au sommeil, ou encore à l'esprit qui s'abandonne au travail de l'inconscient. Cet Etat est décrit comme une dépossession de soi-même (« me dejé arrastrar ») et un dédoublement du Moi par aliénation d'une partie de lui-même (« *mi* cuerpo *se* doblaba... *sus* amarras y *cualquiera* podía jugar con *él*... »). Il faudra revenir à propos de la fonction narratrice sur ce jeu 1$^{re}$/3$^e$ personne, mais il convient de signaler qu'il est déjà à l'œuvre, de façon très clairement symbolique, au moment où s'instaure la binarité narrative.

## UN TEMPS REVERSIBLE

Il n'est pas douteux que la fragmentation et la non-linéarité de l'organisation narrative de *Pedro Páramo* vont se répercuter très directement dans son organisation temporelle. Non linéaire, le temps du roman décrit une trajectoire complexe qui projette le lecteur dans des instants aux caractères les plus changeants : tantôt ancrés dans une chronologie repérable, tantôt perdus dans une durée sans frontières visibles. Fragmenté selon des règles qui n'ont à voir, ni avec les calendriers, ni avec les horloges, le temps construit sa propre loi :

> El reloj de la iglesia dió las horas una tras otra, una tras otra, como si se hubiera encogido el tiempo (p. 19, p. 23).
> Como si hubiera retrocedido el tiempo. Volví a ver la estrella junto a la luna. Las nubes deshaciéndose. Las parvadas de los tordos. Y enseguida la tarde todavía llena de luz (pp. 58-59, p. 67).

On peut remarquer tout d'abord que la chronologie des deux champs narratifs est très différente. L'histoire de Juan Preciado à Comala semble durer peu de temps, du moins jusqu'au moment où il se retrouve dans la tombe, car à partir de là, la notion de temps n'a plus guère de signification. L'histoire de Pedro Páramo, au contraire, couvre un grand nombre d'années et on y découvre des allusions à des événements historiques aisément identifiables.

## L'histoire de Juan Preciado

L'arrivée de Juan Preciado à Comala est située dans un temps à références essentiellement climatiques :

> En ese tiempo de la canícula, cuando el aire de agosto sopla caliente... (p. 8, p. 10).

Aucune allusion qui permette, à quelque moment que ce soit, de situer cela dans une époque déterminée : à partir de l'instant où Juan Preciado entre dans Comala, s'ouvre devant lui un temps sans mesure et sans direction. Le plus frappant, dans ce temps, est son caractère nocturne : Juan Preciado arrive à Comala à la tombée du jour, et ensuite la nuit envahit tout. C'est dans la nuit que se situe sa conversation avec Edwiges, puis avec Damiana ; c'est dans la nuit qu'il entend les conversations des gens de Comala et qu'il est recueilli dans la maison de Donis et de sa sœur. Quand Juan Preciado s'éveille, il est déjà midi et bientôt, pendant que la femme lui raconte sa vie à Comala, le jour décline de nouveau et la nuit revient. Puis le temps, remontant vers sa source, refait en sens inverse le chemin parcouru depuis son arrivée à Comala.

Ainsi le temps de Comala échappe à sa plus rigoureuse loi : l'irréversibilité. Mais Juan Preciado, témoin de cette transgression, se retrouve bientôt dans la tombe : est-ce la mort qui punit ceux qui accèdent à la connaissance de l'inconnaissable, ou bien la prise de conscience d'une mort déjà consommée au début du voyage vers l'enfer de Comala ? La frontière entre la vie et la mort est suffisamment brumeuse pour qu'on ne sache jamais de quel côté on se situe. De même, le temps a fait sauter tous ses verrous, et tourne follement comme une boussole qui a perdu le nord.

Que signifie donc, dans cette durée sans bornes, les temps du passé à travers lesquels s'énonce le récit ? Le passé du récit ne se situe pas par rapport à un présent d'énonciation qui resterait implicite, comme cela se produit souvent, mais par rapport à un présent d'énoncé qui apparaît précisément dans les séquences 34 et 35, à la charnière de la narration :

> *Tengo* memoria de haber visto... (p. 61, p. 70).

Tous les passés qui précèdent, dans le champ narratif I, se trouvent donc être dans l'antériorité de l'instant présent énoncé pour la première fois à la séquence 34. Ce présent correspond à la « mort » de Juan Preciado — quelque sens qu'on veuille lui donner — qui se trouve être dès lors le point de référence temporel de tous les autres événements. A partir de là, la narration ne quitte plus le présent puisqu'elle se convertit en un dialogue entre Juan Preciado et Dorotea, dialogue dans lequel viennent s'enchasser des monologues d'autres personnages enterrés dans les tombes voisines. Si l'on se réfère à ce que dit, à la séquence 35, Juan Preciado à Dorotea, on peut même considérer que toute la narration en première personne du champ narratif I n'est pas autre chose que la transcription d'un récit fait par le protagoniste à la vieille Dorotea :

> — Mejor no hubieras salido de tu tierra ¿ Qué veniste a hacer aquí ?
> — Ya te lo dije en un principio. Vine a buscar a Pedro Páramo, que según parece fue mi padre. Me trajo la ilusión (p. 63, p. 72).

La réponse de Juan Preciado semble bien reprendre la toute première phrase du roman :

> Vine a Comala porque me dijeron que acá vivía mi padre, un tal Pedro Páramo (p. 7, p. 9).

Nous aurons à revenir sur ce problème en traitant de la fonction narratrice, mais en ce qui concerne le temps, il faut souligner l'importance de cet épisode, qui se donne comme point de référence temporel et qui, par conséquent, se désigne comme un nœud symbolique de l'ensemble de la narration.

Il faut ajouter que, par rapport à l'histoire de Pedro Páramo, le champ narratif I est à la fois premier dans l'espace textuel, puisqu'il ouvre le roman, et postérieur dans la chronologie, puisque, lorsque Juan Preciado arrive à Comala, Pedro Páramo est mort depuis de longues années.

Si donc le début de la narration se construit en vision rétrospective à partir d'un point de référence présent qui n'apparaît que vers le milieu du roman, l'histoire de Pedro Páramo constitue un nouveau pas en arrière, une couche de passé plus profonde.

Au résultat, la narration se présente comme une reconstruction du passé à plusieurs niveaux, à partir d'une expérience présente directement issue de ce passé, et qui requiert, pour être comprise, la remémoration du passé.

## L'histoire de Pedro Páramo

L'organisation temporelle du champ narratif II est bien plus complexe que celle du champ I, dans la mesure où elle embrasse une durée bien plus vaste, où la reconstruction du passé est plus chaotique, et où elle se complique d'une référence à un ordre temporel hétérogène par allusion explicite à des événements historiques.

Le récit de la vie de Pedro Páramo s'énonce entièrement au passé, sans autre point de référence que celui désigné plus haut dans le champ narratif I. Il commence par l'évocation de quelques épisodes de l'adolescence de Pedro Páramo pour se terminer par le récit de sa mort. Entre-temps, se situent trois moments importants : l'installation du jeune Pedro Páramo à la Demi-Lune, la propriété familiale, après la mort de ses parents, qui marque sa prise de pouvoir sur Comala, puis la mort de Miguel Páramo, le seul fils de Pedro élevé auprès de lui ; et enfin le capital épisode du retour de Susana San Juan, de son agonie et de sa mort.

Pour situer ces événements les uns par rapport aux autres quelles précisions fournit le texte ? Peu de choses : il est dit que Juan Preciado naquit l'année qui suivit le mariage de Dolores Preciado avec Pedro Páramo ; Miguel Páramo a 17 ans quand il trouve la mort ; enfin Susana San Juan revient à Comala 30 ans après son départ, alors que Pedro Páramo et elle étaient adolescents. Après la mort de Susana commence la lente mort de Pedro Páramo, et de Comala qu'il entraîne dans son agonie : combien de temps dure-t-elle ? On ne saurait le préciser, mais assez longtemps pour que la décision de se « *croiser les bras* », prise par le cacique de Comala, arrive à entraîner l'exode de la population et la mort du village. Impossible également de préciser le laps de temps qui sépare la mort du père et l'arrivée du fils à Comala : la phase prononcée par Abundio :

— Pedro Páramo murió hace muchos años (p. 11, p. 13).

paraît destinée, plutôt qu'à apporter une précision chronologique, à rejeter cette mort dans un passé mythique.

Il faut noter que, pendant la quasi-totalité du roman, il n'y a pas la moindre allusion à un événement ou à un personnage qui puisse permettre de situer le roman dans une chronologie historique. Il faut attendre la page 98 pour qu'apparaisse une référence identifiable.

Les séquences suivantes apporteront des précisions sur les divers épisodes de la Révolution mexicaine auxquels il sera fait allusion, à travers les noms des chefs successivement victorieux. Au total, de la séquence 50 à la 65, on voit se dérouler à travers quelques noms une quinzaine d'années d'histoire mexicaine : de 1911 à 1926.

Le dernier épisode historique auquel il est fait référence, à travers l'allusion au Père Rentería, est le soulèvement religieux, entre 1926 et 1929, connu sous le nom de « Guerra de los Cristeros », à cause du cri de « Viva Cristo Rey » auquel se ralliaient ses partisans.

La présence dans *Pedro Páramo* d'une référence à une chronologie historique pose un problème méthodologique dont il convient de dire deux mots.

# Temps du roman et temps de l'Histoire

Il faut répéter tout d'abord une évidence trop souvent oubliée, c'est que le temps du roman est d'une nature radicalement hétérogène à celle du temps historique. Il est, comme toutes les autres fonctions de l'écriture, fondé sur le langage et son fonctionnement. Il s'exprime à travers un certain nombre d'éléments dont les plus importants sont les verbes, mais aussi des éléments lexicaux divers : adverbes, locutions adverbiales, prépositions, conjonctions, etc... Ce que l'on appelle temps du roman est donc une représentation de la durée, à travers des recours proprement langagiers. Il s'agira donc d'apercevoir les rapports qu'entretiennent les événements historiques référés, et la représentation qu'en donne le texte romanesque. Ce rapport est d'ailleurs, il faut le souligner, un rapport de deux textes : le texte de l'historien et le texte du roman, puisque l'histoire est essentiellement textuelle. C'est dire qu'il est oiseux de chercher dans un roman une « vérité historique », quelle qu'elle soit : un roman ne peut dire qu'un rapport avec un référé, ce rapport est idéologique, mais il ne faut pas oublier non plus que le texte de l'historien est lui aussi idéologique, dans la mesure où il est représentation, tout comme le roman, encore que de manière différente.

Essayons donc de voir quels peuvent être les rapports entre les événements de la Révolution mexicaine, auxquels il est fait allusion, et leur représentation dans le roman.

Il faut noter d'abord que la Révolution parvient à la Demi-Lune sous forme de rumeurs :

> Ya para entonces soplaban vientos raros. Se decía que habia gente levantada en armas. Nos llegaban rumores (p. 86, p. 98).

Puis arrivent sur les terres de Pedro Páramo une bande d'hommes en armes qui se disent révolutionnaires, et veulent enlever ses terres au cacique. Ils abattent Fulgor Sedano, l'administrateur. C'est alors que Pedro Páramo, sentant le vent, imagine un stratagème pour protéger ses propriétés et les tenir hors d'atteinte des troubles : il fait venir les révolutionnaires, leur propose son aide en argent et en hommes. Il met à la tête d'une bande d'hommes à lui un aventurier dont il achète le dévouement, de façon qu'il éloigne par sa présence dans la région, d'éventuels révolutionnaires, venus d'ailleurs, qui auraient été moins bien intentionnés vis-à-vis du latifundio des Páramo. Dès lors, Comala et la Demi-Lune demeurent préservés, à l'écart des remous qui bouleversent le pays, et qui ne parviennent à Pedro Páramo qu'à travers les rapports que vient lui faire son homme de main :

> El Tilcuate siguió viniendo :
> — Ahora somos carrancistas.
> — Está bien.
> — Andamos con mi general Obregón.
> — Está bien.
> — Allá se ha hecho la paz. Andamos sueltos.
> — Espera, no desarmes a tu gente. Esto no puede durar mucho (p. 121, p. 137).

Cette séquence 65, dont on vient de citer un fragment, est particulièrement significative de la manière dont la narration intègre la relation de ces événements : elle condense, en quelques répliques, des événements qui se sont déroulés sur des années, et présente l'activité « révolutionnaire » de la bande armée comme l'art pur et simple de se trouver toujours du côté des vainqueurs du moment. En somme, l'Histoire mexicaine passe à côté de Comala, elle est vue, à travers la narration, comme une série d'événements marginaux qui ne concernent pas réellement Comala et qui, de toutes façons, ne changent rien à la vie du village et de ses habitants. A Comala se donne très précisément la situation que les historiens décrivent comme la cause même de la Révolution dans la campagne : la concentration, dans les mains d'une famille, des terres, de l'argent et donc du pouvoir. Or ici, rien ne change, les années de troubles passent au large de Comala, et Pedro Páramo garde son pouvoir, un pouvoir si formidable que lorsqu'il décide, pour punir Comala d'avoir transformé son deuil pour la mort de Susana en fête, de « *se croiser les bras* », le village et la région toute entière s'asphyxient progressivement, et tombent en ruines en même temps que le corps du maître, effrité par la douleur.

Nous sommes donc, dans *Pedro Páramo,* très loin de la vision épique et héroïque des « Romans de la Révolution », et très loin aussi de l'interprétation des historiens qui voient dans cette période un violent et total bouleversement de la vie du Mexique, une transformation radicale des structures économiques et sociales du pays. En nous abstenant de porter aucun jugement de valeur sur ces diverses interprétations des événements de 1910 à 1929, nous ne pouvons que constater que *Pedro Páramo* se démarque très fortement de l'interprétation qu'ont donnée, tant les romans antérieurs à lui, que les historiens. Ce parti-pris évident semble se présenter comme une démythification d'un moment de l'Histoire mexicaine qui aurait été érigée en mythe par ceux qui en avaient tiré profit, et par une littérature annexée à ces mêmes intérêts.

Il est clair que la narration marginalise toute référence à ces événements historiques, seuls y sont impliqués des personnages très secondaires (le Tartamudo, le Tilcuate) ou alors des personnages plus importants mais qui sortent de la narration dès lors qu'ils touchent à ces événements Fulgor Sedano — le Père Rentería). On pourrait dire que, paradoxalement, la narration « déréalise » l'Histoire, en la présentant comme une série d'événements sans fondements, presque anodins, sorte de faits divers propres à quelque scénario pour film d'aventures.

Il apparaît bien que cette vision désenchantée — dans tous les sens du terme — de la Révolution mexicaine porte la marque du temps de l'énonciation et non du temps de l'énoncé : c'est le constat que, une trentaine d'années après les événements référés, rien n'a vraiment changé dans un pays où un homme seul a eu le pouvoir de faire vivre et mourir un village.

On est amené à constater que le temps de l'Histoire, loin d'avoir pour fonction d'ancrer le temps du roman dans une durée précise et consistante, se trouve être une sorte de temps mort, en marge du temps, une durée vide où rien d'important ne se produit. Il faut dire, qu'en vérité, le temps de l'Histoire et le temps de Pedro Páramo ne fonctionnent pas de façon analogue, et peut-être faut-il voir là l'une des raisons fondamentales de leur incompatibilité.

# Le temps et la mémoire

Conséquence directe de la structure narrative, la non-linéarité du temps est une des données fondamentales du fonctionnement du temps romanesque. Dans le champ narratif II, le caractère chaotique de la succession des épisodes est très marqué, et accentué par le fait que certains d'entre eux sont repris, complétés par des récits de personnages dans le champ narratif I. Ainsi, la mort de Miguel Páramo, racontée dans les séquences 13, 15, 38 du champ narratif II, apparaît dans un récit fait par Edwidges à Juan Preciado à la séquence 11 du champ narratif I. Ce récit, qui est anticipatoire par rapport à l'ordre des événements dans l'histoire de Pedro Páramo, est en même temps situé dans un temps très postérieur à celui auquel il fait référence. De façon analogue, la séquence 40 reproduit un monologue prononcé par Susana San Juan dans sa tombe, et entendu par Juan Preciado dans la tombe voisine. Ce monologue fait allusion à des événements de l'adolescence de Susana, avant même que le personnage ait été situé dans le roman, si ce n'est à travers les évocations nostalgiques du jeune Pedro Páramo aux séquences 6 et 7. A la séquence 42 sera évoqué le retour de Susana à Comala, trente ans après son départ, et à la séquence 48 un épisode de l'enfance de Susana, antérieur à tout le reste. C'est dire à quel point l'histoire de Pedro Páramo se construit dans un va-et-vient constant entre des points du temps éloignés, et entre les deux champs narratifs, représentant chacun un champ chronologique distinct. A quelle loi secrète obéit donc le temps dans *Pedro Páramo* ?

On a vu que le roman s'ouvrait avec l'arrivée du personnage narrateur à Comala, et que le récit de l'histoire du père ne commence que lorsque Juan Preciado, entré en contact avec le monde étrange de Comala, s'abandonne à la dérive de ses « murmures ». La seule chose que Juan Preciado trouve à Comala, ce sont des voix.

Ces voix, sont les voix des morts, de ceux qu'il voit et de ceux qu'il ne voit pas, qui lui parlent du Comala d'avant et de l'histoire de Pedro Páramo. Ces voix de gens, ces voix secrètes, provenant d'un temps révolu, ce sont les voix de la mémoire ; non pas d'une mémoire personnelle, mais plutôt d'une mémoire collective, multiple, polymorphe, qui reconstruit le passé, non pas d'une façon linéaire et ordonnée, mais plutôt par fragments, par touches, par lambeaux. C'est ainsi que resurgit l'histoire abolie de Pedro Páramo, remontant des couches profondes de la mémoire, où l'avait refoulée le temps, la peur, la haine, la rancune. Pedro Páramo : « *la rancune en personne* ».

Cette définition, que donne Abundio de Pedro Páramo, avant l'arrivée du fils à Comala, dit assez l'accumulation de haine autour de cette figure, qui va être reconstruite par fragments, à travers les voix qui suintent des murs ou sortent de la terre. Nous essayerons de comprendre, en analysant le personnage de Pedro Páramo, quelle peut être la signification de cette reconstruction ; elle nous apparaît pour l'heure explicative à l'endroit du fonctionnement du temps.

L'histoire de Pedro Páramo affleure peu à peu à la narration, non pas selon la successivité des événements, mais au fur et à mesure que la mémoire collective fait tomber peu à peu les résistances qui maintenaient enfouie, enterrée, refoulée, la figure du père-cacique. Ainsi, il n'est pas fortuit que les deux premiers événements évoqués soient la peine inconsolable et secrète du jeune Pedro Páramo après le départ de Susana (séquence 6) et la mort du fils bien-aimé du maître de Comala (séquence 11) : les deux grands malheurs de la vie de Pedro Páramo, ressentis par lui comme des châtiments. Rappeler que le cacique a payé durement sa puissance et sa cruauté, avant même que de raconter cette puissance, c'est un peu tirer vengeance de lui, venger tous ceux qu'il a écrasés de son pouvoir et de sa morgue. C'est dire que le fonctionnement du temps, tout comme la structure narrative, obéit non pas à une logique externe, imposée du dehors, mais à des lois internes qui nous renvoient constamment à l'ordre symbolique.

Tout comme le temps du roman, l'espace est une réalité purement langagière, qui se construit dans le texte à travers ce qu'il est convenu d'appeler des descriptions. L'espace romanesque a une fonction en rapport avec les autres éléments constitutifs de la narration, et solidairement à eux. Il ne peut, en aucun cas, être considéré comme un signe de « réalisme » romanesque. Le développement plus ou moins important de l'aspect descriptif d'une narration est signe de l'importance dévolue à la fonction des divers éléments spatiaux, et nullement signe d'un souci de représenter plus ou moins fidèlement une réalité de référence.

Dans *Pedro Páramo* le cadre spatial est le village de Comala et ses environs. Dès les premières pages du roman, on est frappé par une particularité : l'opposition entre l'espace vu et décrit par le personnage-narrateur, et les descriptions qui, du même espace, sont faites dans les monologues de Dolores Preciado.

On peut voir ainsi s'opposer deux visions totalement opposées du même espace : l'une, à travers les souvenirs de Dolores Preciado, d'un Comala printanier, fertile, vivant, parfumé, sorte de paysage paradisiaque ; et l'autre, celle du Comala où arrive Juan Preciado, aux rues désertes, aux maisons en ruines envahies par les herbes, aux murs décrépis. Ce Comala, que trouve le fils, correspond si peu à ce que sa mère lui avait décrit, qu'il croirait s'être trompé de village, si ce n'était son guide qui le connaît bien.

Le Comala que découvre Juan Preciado est décrit d'emblée comme un séjour infernal : « *On y est sur les braises de la terre, dans la gueule même de l'enfer.* »

Cette description, fortement symbolique, du lieu romanesque renvoie à l'origine indigène du nom Comala, formé sur le terme nahuatl « comal » qui désigne un plat creux en terre cuite. Ce signifié représente à la fois la matière dominante du paysage (la terre), la chaleur qui a donné forme à l'objet comme au village, et le creux du vallon où gisent les ruines du défunt Comala.

En contraste avec ce lieu de terre et de feu où l'air est si chaud, même la nuit, que Juan Preciado croit mourir d'étouffement, le Comala de la jeunesse de Dolores est vert, un peu doré par le maïs mûr, il est plein des parfums de luzerne, de pain et de miel, il est habité par les vents qui faisaient voler les cerfs-volants des jeux de Susana San Juan et Pedro Páramo.

Que signifie l'antagonisme de ces deux visions de Comala ? pourquoi ce paradis, conservé dans la mémoire de Dolores Preciado, de Susana San Juan et de Pedro Páramo, est-il devenu l'enfer que découvre Juan Preciado ? Sans doute y a-t-il, dans cette métamorphose, un peu du mythe du Paradis perdu, mais il faut également prendre en compte le fait que ces deux états antagoniques sont les deux extrêmes d'un processus dans lequel intervient l'action de Pedro Páramo. En effet, entre ces deux Etats opposés de Comala se situe la vie de Pedro Páramo, sa prise de pouvoir sur le village, l'apogée de sa fortune, puis l'abandon de toute activité qui entraîna la mort du village.

En somme, l'espace romanesque apparaît, non pas comme un cadre statique et indifférent au déroulement dramatique, mais, au contraire, comme un élément extrêmement variable, sensible au processus dramatique, et signifiant de l'évolution des autres éléments de la narration. De cette puissante interdépendance, l'exemple le plus frappant est sans aucun doute celui du personnage qui donne son nom au roman : Pedro Páramo, qui est à la fois pierre à bâtir et désert stérile, se métamorphose, au moment de sa mort, en un morceau de ce paysage dont il n'a jamais cessé d'être solidaire : « un tas de pierres ».

L'espace romanesque se divise en deux grandes unités bien distinctes : le village d'un côté, et la Demi-Lune, la vaste propriété des Páramo, de l'autre. La Demi-Lune est, très clairement, le symbole du pouvoir : Pedro Páramo ne s'y installe qu'à partir du moment où, devenu seul héritier, il prend en main les affaires de la propriété familiale, alors que pendant son enfance et son adolescence il vivait dans une maison du village. L'immensité des terres possédées par le cacique, décrite à Juan Preciado par le muletier Abundio, est aussi symbolique de sa toute puissance.

La Demi-Lune est à l'écart du village, et en situation dominante par rapport à lui : signe, là encore, de la relation de pouvoir qui s'établit entre le latifundio et le village.

Le nom même de la propriété n'est-il pas évocateur des maléfices liés à l'astre de la nuit ? Il convient en tout cas à cette race d'hommes, comme Pedro et Miguel Páramo, coutumiers d'escalader nuitamment les balcons des femmes de tous les environs.

Aucune description, pas le moindre détail ne permet au lecteur de se faire une image de la maison de la Demi-Lune : elle reste abstraite, indifférenciée, signe absolu du pouvoir. On est loin du « réalisme » et de la couleur locale, pas la moindre concession au pittoresque, alors même que le roman est très précisément situé dans une région au paysage bien typé.

Le village n'est pas davantage décrit : des rues pavées de cailloux ronds, des maisons vides, des seuils envahis d'herbes, et le silence angoissant, plein de rumeurs défuntes. Rien qui fasse de Comala un village particulier, repérable dans la géographie de la province de Jalisco. On note, au contraire, dans cette façon de nommer les choses de manière générique, une volonté de « banaliser » le cadre, de le rendre généralisable, susceptible de représenter, non pas tel ou tel village, mais un village archétypique, signifiant d'un certain nombre de caractères. Les traits saillants de Comala sont, comme on l'a vu, tous ceux qui en font une représentation de l'enfer : chaleur, manque d'air, atmosphère angoissante, silence rempli des rumeurs des âmes en peine de pécheurs qui ressassent inlassablement leurs fautes. Cet ensemble de caractères donne au cadre spatial dans lequel se déroule le voyage de Juan Preciado une valeur symbolique inéquivoque, et font de ce voyage une descente aux Enfers.

A l'intérieur du village, la narration détache deux lieux particuliers pendant le séjour de Juan Preciado : la maison-auberge d'Edwiges Dyada, et la maison en ruines de Donis et de sa sœur. La maison-auberge où le muletier Abundio envoie Juan Preciado est un endroit important : c'est là qu'eut lieu l'assassinat de Toribio Aldrete, la première victime de la volonté de domination de Pedro Páramo ; c'est là aussi que demeurent les traces visibles des innombrables départs qui se produisirent à la suite de l'abandon de toute activité à la Demi-Lune. Il n'est pas fortuit que ce soit dans cette maison-auberge — lieu de passage, lieu initiatique — que Juan Preciado prenne contact avec Comala et ses habitants ; c'est là qu'il entend, pour la première fois, les voix des défunts, c'est là aussi que commence le récit de la vie du père. Nous aurons à revenir sur la fonction du personnage d'Edwiges Dyada, mais on peut apercevoir, d'ores et déjà, l'importance de ce lieu de passage — la maison est située près du pont — parfaitement en harmonie avec ce personnage, moitié célestine, moitié samaritaine, qui accueille le fils à la porte des Enfers.

La dernière maison de Comala où entre Juan Preciado avant d'être enterré n'est pas moins remarquable : c'est celle de Donis et de sa sœur.

Cette maison à demi détruite qui abrite le couple incestueux, rappelle étrangement certaines représentations picturales de la crèche, œuvres de primitifs flamands, où le toit à demi détruit laisse voir les étoiles. Or, ce couple nu, marqué par le péché, cette femme au corps fait de terre, enveloppé dans des croûtes de terre, qui se défait comme si elle fondait en une mare de boue, n'évoquent-ils pas irrésistiblement les premiers habitants de l'Eden, seuls, comme eux, et poursuivis par la conscience de leur péché ? Cette maison où Juan Preciado voit le temps revenir en arrière et remonter jusqu'à sa source se trouve être, en quelque sorte, une métaphore du lieu originel, avec une inversion de signe : Crèche et Eden au centre de l'Enfer, au seuil même de la tombe où Juan Preciado va être enterré, au sortir de cette étrange maison.

Ces lieux où se déroule le séjour de Juan Preciado sont donc très clairement traités, non pas en vue d'une ressemblance ou d'une fidélité quelconque à un modèle extérieur au roman, mais en raison de leur fonction dans la narration, en rapport de signification avec les autres éléments. Pourtant, ce modèle extérieur existe, on peut voir effectivement dans le Jalisco des villages abandonnés, en ruines, mais cette réalité, d'un ordre absolument hétérogène à la réalité langagière de l'espace romanesque, ne peut, en aucun cas, être un fait explicateur par rapport à celle-ci. L'espace romanesque se constitue *dans* le texte, et tire sa fonction et sa signification des relations qui s'instituent, *dans* le texte, entre lui et les autres constituants de la narration. Le rapport qui s'établit entre la réalité géographique et l'espace romanesque est du même ordre que celui qui s'établit entre le temps historique et le temps du roman. L'espace romanesque est bien une représentation de l'autre, mais cette représentation implique une transformation totale, dans la mesure où l'on passe d'un ordre de réalité à un autre : l'espace romanesque fonctionne et signifie dans l'ordre textuel, et seulement dans celui-là.

## DES PERSONNAGES ET DES VOIX

Un des traits remarquables de *Pedro Páramo* est le nombre extrêmement important de personnages qui interviennent de façon plus ou moins épisodique. Le corollaire de cette abondance de personnages est, bien sûr, la brièveté du rôle qu'ils ont à jouer dans le roman : dans beaucoup de séquences, les personnages n'apparaissent qu'en tant que « voix », anonymes ou identifiées par un nom ou une fonction sociale.

Comme le temps, comme l'espace, la fonction actantielle est bipolarisée autour des deux protagonistes : Juan Preciado et Pedro Páramo. Dans chacun des champs narratifs correspondants, s'organisent autour d'eux les personnages secondaires avec lesquels ils entrent en relation. On s'aperçoit ainsi qu'il y a un nombre réduit de personnages qui sont en relation avec les deux pôles actantiels, et un grand nombre d'autres qui ne sont en relation qu'avec l'un des deux, essentiellement avec Pedro Páramo.

Il est bien évident que cette structure de la fonction actantielle n'est pas fortuite : elle correspond aux structures du temps et de l'espace, et elle entraîne de considérables effets de sens, que nous allons tâcher d'analyser.

On remarque, tout d'abord, qu'il y a un grand nombre de personnages uniquement reliés à Pedro Páramo : cela n'est pas étonnant dans la mesure où l'histoire du père est beaucoup plus développée que celle du fils. Parmi ces personnages, le plus important et le plus complexe est Susana San Juan. Susana est à mettre en parallèle avec Dolores Preciado puisque, parmi toutes les femmes qu'a connues Pedro Páramo, ce sont les deux seules qui soient identifiées et qui aient joué un rôle important dans son histoire. Elles sont symétriquement opposables, dans la mesure où Susana est la seule femme aimée par Pedro Páramo qu'elle n'aimait pas, alors que Dolores aimait Pedro qui ne l'aimait pas, mais qui l'épousa par intérêt. Susana est la figure de l'amante vouée, toute entière, à une passion dévorante où elle se consume, hors de portée de celui pour lequel elle est la seule possession impossible. Dolores est, au contraire, la femme frustrée de toute sensualité partagée : la substitution de Dolores par Edwiges Dyada, dans la nuit de noces, est une métaphore de cette frustration conjugale qui se compense dans un amour maternel exclusif. Son nom est signifiant à la fois de la figure de *mater dolorosa* qu'elle incarne, et du *prix* qu'elle a payé pour ce mariage tant désiré.

Il est clair que ce personnage de mère est, par excellence, le personnage médiateur entre les deux protagonistes, père et fils, séparés par un hiatus infranchissable, dont le rapport problématique cherche à se construire tout au long du roman.

Ce triangle familial, défait par une série de frustrations (Pedro frustré de Susana, Dolores frustrée de Pedro, le fils frustré du père), pose en termes étranges les rapports fils/père : quel est donc le sens de cet « espoir » qui pousse le fils à la quête du père ? Cette question, entendons-nous bien, ne se pose pas sur le plan de l'intrigue, mais sur le plan de l'écriture, car la narration s'institue comme une quête du père.

## Le fils sans père

On a souvent dit que *Pedro Páramo* reprenait le « mythe mexicain » du fils sans père : il convient de rappeler que le mythe du fils sans père déborde très largement les frontières du Mexique, même s'il est vrai qu'il a été fréquemment utilisé dans la littérature mexicaine. Il faut préciser aussi qu'un mythe est une structure où des éléments fonctionnent selon certains rapports : à chaque réélaboration du mythe correspond une motivation nouvelle, et donc une signifiance également différente. On peut donc bien dire que *Pedro Páramo* met en œuvre une quête de la figure paternelle qui est une recherche de la propre identité, mais encore faut-il voir selon quelles modalités se combinent ces rapports fondamentaux.

Juan Preciado naît du mariage de Pedro Páramo et de Dolores Preciado ; peu de temps après sa naissance, la mère, ulcérée par le despotisme et l'attitude méprisante de son mari, part avec son enfant « *pour rendre visite à sa sœur* » mais, en fait, pour fuir une situation conjugale humiliante : elle attendra, pour revenir à Comala, que son mari la rappelle, et comme il n'a cure de le faire, elle ne reviendra jamais à son village natal. Sur son lit de mort, elle fait promettre à son fils de retourner à Comala, qu'il ne connaît pas, pour réclamer à son père ce dont il l'a expolié.

Ce fils, élevé loin du père, dans l'amour exclusif d'une mère frustrée et humiliée dans ses rapports conjugaux, s'est totalement identifié à la figure maternelle, au point que, lorsqu'il revient à Comala, il y vient avec les yeux de sa mère, avec sa connaissance nostalgique du paysage natal.

Mais sans doute la marque capitale de cette identification du fils à la mère est le nom qu'il porte : Preciado et non Páramo, comme s'il s'agissait d'un fils illégitime, d'un fils sans père. A cette identification totale à la figure maternelle, la mort de Dolores et le voyage qu'il entreprend vers le lieu de sa naissance, vont progressivement l'obliger à renoncer. Ce que le protagoniste va chercher à Comala, c'est un père vivant qu'il veut connaître, mais avant même d'entrer à Comala, il apprend que ce père est mort depuis longtemps : il persévère néanmoins dans son intention première en quête de tout ce — de tous ceux — qui pourraient l'aider à reconstituer la figure paternelle. C'est ainsi que, peu après l'arrivée de Juan Preciado au village, commence à se construire l'histoire de Pedro Páramo.

Il s'agit donc, au premier chef, de la quête d'une nouvelle identification : l'identification, jusqu'alors impossible, du fils avec une image paternelle qu'il est obligé de reconstituer trait par trait, bribe par bribe. Or, cette identification quêtée va s'avérer dès l'abord, impossible : la non-coïncidence des deux histoires, qui se construisent simultanément, dans un entrelac admirablement figuré par l'organisation narrative, se dit sans ambiguïté dans la divergence des formes de narrateur qui organisent chacune de ces histoires. Alors que l'histoire du fils est prise en charge par un narrateur en première personne, celle du père se déclare sous narrateur non-personnel. Quelles sont les raisons de cette impossible identification ? Il n'est pas douteux que l'une de ces raisons soit la nature même de la figure paternelle que la narration construit : Pedro Páramo est un personnage despotique, cruel, implacable, destructeur, qui ne laisse derrière lui que cadavres, ruines, désert. Figure du pouvoir stérile, qui se consume dans sa propre démesure, il ne saurait offrir une image gratifiante à laquelle le fils pourrait aspirer à s'identifier. Mais peut-être faut-il aussi chercher dans la structure mythique qui sous-tend le rapport des deux protagonistes, un autre type de raisons susceptibles de justifier l'identification impossible.

Si l'on a recours à l'analyse que fait C.G. Jung du mythe du Héros, on voit que l'une des constantes de ce mythe est le rejet du père naturel, substitué soit par une filiation divine, soit par une filiation mystérieuse ou impossible à établir. Dans le cas de *Pedro Páramo,* le rejet du père s'exprime de plusieurs manières. Tout d'abord, dans le départ de la mère et de son enfant, départ motivé par l'attitude du père et favorisé par lui : cette situation de séparation est un équivalent symbolique du rejet du fils par le père. La conséquence et l'expression de ce rejet, de cette coupure, est le nom porté par le fils, qui n'est pas celui du père, mais celui de la mère, ce qui équivaut à un refus de filiation. Enfin, la rencontre impossible du père et du fils se concrétise dans la non-coïncidence de leurs histoires respectives : Pedro Páramo est mort lorsque Juan Preciado arrive sur les lieux où il a vécu, et tous les témoins, tous ceux qui auraient pu retracer la figure du père, sont morts également. Juan Preciado ne trouve à Comala que des âmes en peine, que des fantômes évanescents dont les discours étranges, les attitudes incompréhensibles ne sont pas faits pour conférer crédibilité à leurs témoignages. Nous reviendrons, dans l'analyse de la fonction narratrice, sur la question de savoir quelle est l'instance qui prend en charge le récit de l'histoire de Pedro Páramo, mais on ne peut que constater que tout concourt à rendre le père inconnaissable pour le fils.

L'impossibilité de l'identification au père, si elle s'inscrit bien dans le fonctionnement de la structure mythique évoquée plus haut, exprime la radicale hétérogénéité de la nature du fils et de celle du père : le fils, étant ce qu'il est, ne peut pas avoir un tel père. A un premier niveau de lecture, cela peut signifier le refus d'une image de père despotique, sans scrupules, destructeur, et qui ne reconnaît d'autre loi que la sienne, celle du plus fort. Etant donné les implications historiques déjà relevées, on peut également déplacer cette interprétation au plan collectif, et voir là le refus d'une forme de pouvoir social, économique et politique bien connu au Mexique, comme dans les autres pays d'Amérique latine. Ces lectures sont non seulement justifiées mais même inéluctables ; cependant il n'est pas exclu qu'une autre lecture, complémentaire des précédentes, puisse être faite à la lumière de l'analyse de la fonction narratrice.

## Les personnages médiateurs entre le père et le fils

S'il est vrai que Dolores est le premier personnage médiateur entre le père et le fils, elle n'est pas le seul. En effet, au cours de son voyage vers et dans Comala, Juan Preciado rencontre divers personnages dont la fonction est de le guider dans ce monde inconnu, et de l'aider dans sa quête. Avant même d'arriver au village, et alors que, placé devant le choix de la route à suivre, il ne sait vers où diriger ses pas, le protagoniste voit arriver un muletier — le seul personnage qu'il dise avoir rencontré sur sa route — qui se dirige précisément vers Comala. Le caractère symbolique, presque mythique, est-on tenté de dire, de cette scène, est tellement évident, que la narration en masque les outrances en la fragmentant, et en particularisant le cadre spatial. Ce personnage dont le protagoniste ne parvient à comprendre que le prénom, Abundio, ne prendra toute sa dimension que dans les dernières pages du roman, où il apparaîtra comme Abundio Martínez qui, dans un moment d'inconscience due à l'ivresse, tue Pedro Páramo, dont il est le fils naturel. Nous reviendrons plus loin sur ses rapports avec Pedro Páramo, nous ne retenons pour l'heure que sa fonction auprès de Juan Preciado. De par son métier, Abundio est celui qui met en rapport deux mondes étrangers l'un à l'autre, qui porte les nouvelles, qui établit des contacts.

C'est aussi la fonction qu'il remplit auprès du voyageur qui ne connaît pas la route de Comala : non seulement il le guide, mais encore lui donne-t-il les premiers renseignements sur ce qui attend Juan Preciado à Comala, lui faisant clairement entendre qu'il va entrer dans le monde des morts. L'une des révélations qu'Abundio fait au voyageur confère à leur rapport un caractère bien particulier puisqu'ils s'avèrent être tous deux fils du même père. Cette parenté, sans intérêt au plan de l'intrigue, désigne un rapport de similitude entre le protagoniste et le personnage médiateur, rapport qui risque d'être important s'il se retrouve chez d'autres personnages à fonction similaire.

Les personnages de guides, accompagnateurs, passeurs, sont des types très caractéristiques, tant dans les récits légendaires que dans les contes populaires. Ils ont une fonction d'adjuvants, et se retrouvent dans les situations les plus variées, mais leur mission fondamentale est d'aider le héros à surmonter un obstacle, à trouver son chemin, à accomplir une action qu'il ne peut mener à bien seul. Il faut remarquer qu'ici le personnage d'Abundio a, en outre, la caractéristique d'être lié au monde des morts : si cela n'apparaît pas immédiatement, Edwidges Dyada le laisse clairement entendre en disant qu'Abundio doit être mort depuis longtemps.

Après avoir quitté Abundio et être entré à Comala, Juan Preciado se dirige vers la maison d'Edwidges Dyada dont le muletier lui a dit qu'elle pourrait le loger. Ce personnage, comme tous les habitants de Comala, est mort, mais il parle de lui comme s'il était vivant, car c'est toujours un autre personnage qui désigne le premier comme un défunt dont l'âme en peine erre dans les lieux qu'il a habités. Edwidges Dyada faisait à Comala office d'aubergiste, fonction qui la désigne dès l'abord comme un personnage médiateur ; elle a été, de plus, la meilleure amie de Dolores Preciado quand elles étaient jeunes, au point que Dolores lui avait demandé de la remplacer auprès de Pedro Páramo, le jour de ses noces, parce qu'elle avait ses règles, et que le devin du village lui avait déconseillé de coucher avec un homme cette nuit-là :

> — Al año siguiente naciste tú ; pero no de mí, aunque estuvo en un pelo que así fuera (p. 22, p. 26).

Edwidges, en racontant cette histoire à Juan Preciado, se désigne clairement comme un double de sa mère, sorte de mère frustrée, substitut d'épouse qui devient ensuite la prostituée du village, et finit par se suicider. Personnage médiateur, Edwidges l'était aussi par ce « *sixième sens* » qui lui permettait d'entrer en communication avec les morts.

De par ses caractères et sa fonction, Edwidges Dyada est à mettre en rapport avec deux autres personnages de femmes qui lui succèdent en tant que guides auprès du protagoniste : Damiana Cisneros et Dorotea. Damiana, servante de Pedro Páramo depuis son adolescence jusqu'à la mort du maître, a eu auprès de Juan Preciado un rôle de nourrice.

Damiana a eu, comme Edwidges, des rapports sexuels manqués avec Pedro Páramo, parce qu'elle refusa de lui ouvrir sa porte une nuit et qu'ensuite il ne vint plus jamais le lui demander. C'est Damiana qui éleva aussi Miguel Páramo, dont la mère était morte en lui donnant le jour.

Dorotea, dont le rôle dans l'intrigue romanesque est insignifiant, prend une fonction extrêmement importante dans la mesure où Juan Preciado se retrouve enterré dans la même tombe qu'elle, et que c'est à elle qu'il s'adresse et qu'il raconte son histoire. Dorotea est, comme les deux précédentes, un personnage de mère frustrée, une sorte de folle mendiante qui portait dans son giron un épi de maïs emmailloté, en croyant porter un enfant.

A la mort de Miguel Páramo, Dorotea va se confesser et s'accuse d'avoir servi d'entremetteuse au jeune homme, d'avoir été sa pourvoyeuse en proies consentantes. C'est ce personnage, obsédé par le désir de maternité au point de se recroqueviller jusqu'à acquérir elle-même une corpulence d'enfant, qui va se retrouver enterré dans les bras de

Juan Preciado, comme si elle était son enfant, elle qui toute sa vie avait porté dans ses bras une illusion d'enfant. Cette inversion des rôles, soulignée par Dorotea, ne peut pas être sans signification à un endroit de la narration dont on a déjà signalé l'importance stratégique. Juan Preciado et Dorotea figurent, au vrai, l'image inversée d'une mère tenant son enfant dans ses bras, or cette inversion a son lieu dans une tombe dont on peut dire, sans surprendre personne, que c'est l'image inversée du berceau. Que ce soit précisément à un moment de la narration où celle-ci se transforme et devient, non plus un récit coupé de dialogues comme auparavant, mais un long dialogue entre Juan Preciado, jusque-là personnage-narrateur, et Dorotea qui s'avère être le destinataire du précédent récit en première personne, est la preuve que la signification symbolique que nous venons de dégager affecte, non seulement les personnages, mais également la fonction narratrice impliquée par eux. Nous reviendrons sur ce passage fondamental de la narration ; pour le moment, ce qui retient notre attention c'est que Dorotea, qui est le dernier personnage avec lequel le protagoniste entre en rapport, est comme Edwiges et Damiana, à la fois un substitut maternel et un personnage auxiliaire qui assiste le héros dans son passage de la vie à la mort, et lui sert désormais de guide dans ce monde de voix d'outre-tombe dans lequel ils sont unis par un étrange destin.

Les quatre personnages jusque-là évoqués comme « personnages auxiliaires », à cause de la fonction commune qu'ils remplissent, ont donc ensemble une série de caractères intéressants :

— Ils sont défunts, c'est-à-dire qu'ils appartiennent symboliquement au monde des fantasmes, à l'intérieur même de la fiction.

— Ils sont liés à l'image parentale. Celui qui est lié au père, est en même temps un double du personnage narrateur. Les autres sont des substituts maternels.

— Ils aident le protagoniste en l'instruisant dans la connaissance de son passé familial, en contribuant à la reconstitution de l'histoire du père.

— Ils ont une fonction de nomination auprès du héros : le premier nomme, décrit et définit son lieu d'origine et son père, la deuxième nomme et décrit sa mère et raconte l'histoire de sa naissance. La troisième lui donne son nom pour la première fois. La quatrième lui raconte sa mort.

La présence de tous ces personnages auxiliaires donne à penser que ce voyage de Juan Preciado à travers les rues de Comala a une signification bien plus importante que ne le laisserait supposer le caractère anodin des actions effectivement décrites, puisqu'il requiert le concours de tant d'adjuvants. L'issue même de ce voyage : la mort, suffirait d'ailleurs à nous assurer de son importance.

## Le frère et la sœur incestueux

Je n'ai pas inclus parmi les personnages médiateurs ces deux derniers personnages que Juan Preciado rencontre avant de mourir, dans la mesure où leurs caractères très spécifiques invitent à les ranger à part. Nous avons déjà parlé, au sujet de l'espace romanesque, de cette curieuse maison où Juan Preciado est accueilli en sortant, avec Damiana, de chez Edwidges Dyada. Les deux personnages qui l'habitent évoquent irrésistiblement le premier couple de la création : comme Adam et Eve ils sont nus, comme eux ils vivent seuls dans un monde dépeuplé, comme eux ils sont marqués par le signe du péché, comme eux ils sont encore tout enduits de la terre dont ils sont pétris. Ici, comme pour la tombe de Dorotea, nous avons un signe d'inversion puisque ce couple n'est pas seul dans un monde originel, mais, au contraire, dans un monde apocalyptique dont ils sont les derniers habitants. C'est aussi, pendant qu'il est avec eux, dans la maison au toit à demi-écroulé que Juan Preciado voit le temps revenir en arrière jusqu'à l'instant de son arrivée à Comala ; une telle remontée du temps vers sa source ne peut que signifier que ce couple est, lui aussi, en rapport avec les origines, avec les origines du roman (le temps remonte jusqu'au début du roman et pas au-delà), avec les origines du protagoniste, avec cette aventure mystérieuse qu'il vit depuis son arrivée à Comala. Il faut d'ailleurs souligner que, dans ce couple, c'est la femme qui est l'élément le plus significatif : elle ne porte pas de nom, contrairement à l'homme, et n'est désignée que par le substantif générique « *la mujer* » ; c'est sur sa nudité que l'on insiste, et sur la matière dont elle semble être pétrie ; c'est elle qui parle le plus avec Juan Preciado ; c'est sur elle que pèse le plus la conscience du péché d'inceste. Curieusement, Juan Preciado lui parle de sa mère, lui demande si elle l'a connue. Il faut enfin rappeler que c'est après avoir dormi avec cette femme que Juan Preciado sort de la maison pour aller au-devant de sa mort.

A travers les caractères et les fonctions des différents personnages avec lesquels Juan Preciado entre en rapport à Comala, on est en mesure de dégager une signification globale du périple du protagoniste. Le voyage à Comala désigne bien, comme le début du roman le laisse pressentir, une descente aux Enfers, un voyage intérieur vers les zones les plus enfouies de la psyché, en quête d'une connaissance des origines et de la propre identité, à travers la reconstitution de l'histoire du père. Ce voyage et cette connaissance ne peuvent s'accomplir sans l'aide d'un certain nombre de personnages auxiliaires, qui introduisent le protagoniste dans le monde intérieur, l'instruisent et le guident, l'un après l'autre. Arrivé au terme du voyage, qui, en tant que voyage vers les origines, ne peut être qu'un voyage à rebours, le héros rencontre le couple originel qui marque le bout de la remontée dans le temps. Dès lors, le voyage initiatique, qui a mené le héros jusqu'à la connaissance des origines mythiques de l'humanité, est achevé : la mort symbolique du protagoniste, qui signale au vrai le commencement d'une nouvelle existence, transforme aussi la forme de la narration, liant ainsi de manière inéquivoque la production narrative et le voyage symbolique.

# Pedro Páramo

Pedro Páramo représente donc l'autre pôle de la fonction actantielle, le plus puissant puisqu'il réunit autour de lui la quasi-totalité des personnages du roman. Les seuls qui n'aient pas de lien direct ou indirect avec lui sont précisément Donis et sa sœur : la fonction actantielle marque, par cette unique coupure, que la connaissance des origines est réservée au fils. Pedro Páramo est un personnage fort complexe, car si l'une de ses faces, celle que nous avons examinée jusqu'à présent, est la figure de père, il en a d'autres constituées par ses rapports à d'autres types de personnages. Le premier aspect que la narration donne de lui est sa relation à Susana San Juan, dans la première époque de sa vie évoquée : l'adolescence. Susana est, dès ce moment-là et jusqu'à la fin du roman, la femme désirée et inaccessible, d'abord à cause de l'éloignement puis, quand il la retrouve, à cause de la maladie qui la dévore et bientôt l'emporte. Susana, liée aux jeux de l'enfance, au printemps, au vent, ne sera pas seulement le premier amour de Pedro, elle sera une sorte d'aimant occulté qui dirigera obscurément son destin :

> Esperé treinta años a que regresaras, Susana. Esperé a tenerlo todo. No solamente algo sino todo lo que se pudiera conseguir de modo que no nos quedara ningún deseo, sólo el tuyo, el deseo de tí (p. 86, pp. 97-98).

Ces paroles de Pedro Páramo, au moment où il vient d'apprendre le prochain retour de Susana, indiquent quel a été le sens de la vie du cacique de Comola, le moteur de cet appétit insatiable de pouvoir, qui a fait de lui un tyran impitoyable et cynique. Il est certain que ces deux facettes du personnage : l'amoureux romantique voué pour toujours à son premier amour, et le propriétaire terrien avide et sans scrupules, sont pour le moins antinomiques ; mais il n'est pas moins vrai que cette dualité du personnage lui permet d'échapper au schématisme qui en eut fait une pure production idéologique. Reste à savoir si une cohérence interne assure au personnage un fonctionnement harmonieux dans la stratégie actantielle de la narration. Pour cela, il faudrait parvenir à mettre au jour, au-delà des péripéties de l'intrigue romanesque, les ressorts occultés du personnage de Pedro Páramo.

Le nom du personnage mérite déjà qu'on s'y arrête : Pierre est le nom donné par Jésus à l'apôtre Simon, quand celui-ci avait affirmé sa certitude que Jésus était bien le Messie.

Ce prénom est donc, dans la symbolique chrétienne, le signifiant de celui sur qui s'appuie l'édification du Royaume de Dieu sur la terre. En regard, le nom Páramo, le désert, semble exprimer au contraire la stérilité, la solitude, le vide. Il y a donc déjà dans le nom du personnage la marque de sa dualité, encore que les deux parties qui le composent relèvent l'une et l'autre d'un élément commun auquel ils se rattachent : la terre. Si l'on examine les circonstances dans lesquelles apparaît le personnage de Susana San Juan en liaison avec Pedro Páramo, on constate que son souvenir est évoqué pour la première fois dans une scène où le jeune Pedro parle avec sa mère (séquence 6), puis dans une autre, toujours avec sa mère, où celle-ci semble partager sa douleur du départ de Susana (séquence 8), puis, dernier épisode de l'adolescence où est évoqué le départ de Susana, dans une autre scène où il parle avec sa grand-mère (séquence 10). Il semble donc se dégager que le personnage de Susana est, pour Pedro Páramo, lié étroitement, quoique de manière non explicite, à celui de sa propre mère. Mais il est un autre personnage auquel est lié Susana, très ouvertement cette fois, c'est son père Bartolomé San Juan. Déjà, dans la séquence 42, au moment où est annoncé le retour de Bartolomé San Juan et de sa fille, commencent à transparaître quelques-unes des particularités du rapport de la fille au père, éclairé deux pages plus loin, à la séquence 44. Le père et la fille semblent bien avoir des relations qui s'apparentent davantage à celles d'un couple. Pedro Páramo considère d'ailleurs le père comme un obstacle à la possession de Susana : c'est lui qui emmena sa fille loin de Comala, c'est lui qui refusa toujours les propositions alléchantes que lui faisait Pedro Páramo pour les ramener auprès de lui, aussi Bartolomé San Juan comprend-il, quand Susana accepte de vivre avec Pedro Páramo, que son arrêt de mort est signé : il sera assassiné dans les mines de La

Andromeda où il repart, après avoir laissé sa fille à la Demi-Lune.

Le rapprochement des séquences de l'adolescence et des séquences du retour de Susana, permet d'entrevoir le rapport symbolique qui unit les personnages de Pedro et de Susana, par-delà les complexités de l'intrigue. Susana est la première et la seule femme vraiment aimée par Pedro, c'est aussi la seule dont la possession ne lui sera jamais possible, et cela essentiellement à cause du père, qui la garde jalousement pour lui : c'est là, très clairement, un schéma œdipien. Le fils, attaché dès l'enfance à la mère, ne pourra jamais la posséder à cause du tabou que fait peser sur cette possession la figure paternelle. De là, ce rapport entre l'évocation secrète de Susana et la présence de la mère, de là la relation incestueuse, présente mais déplacée sur le couple Bartolomé-Susana, de là l'acharnement de la narration à assassiner tous les personnages de père (le père de Pedro, celui de Susana et le propre Pedro assassiné par son fils à la fin du roman). Mais cette lecture symbolique éclaire encore d'autres aspects du personnage : cet attachement violent et exclusif à la mère explique aussi que Pedro Páramo soit sous l'égide double et antinomique de la terre, en tant qu'élément fondamentalement maternel ; il explique également l'appétit insatiable de terres qui fait du maître de la Demi-Lune le plus puissant propriétaire de la région ; il explique enfin que la mort de Susana entraîne chez Pedro Páramo l'abandon du travail de ses terres qu'il laisse en jachère, provoquant ainsi la désertification du pays tout entier.

Il est un autre aspect qui dérive de cette même lecture symbolique : si Susana est bien pour Pedro Páramo la figure de la mère désirée et interdite, cela signifie qu'il se heurte au tabou majeur, à la loi la plus terrible et la plus intransgressable. Pour compenser cette impuissance devant une loi qu'il ne peut briser, Pedro Páramo s'érigera lui-même en source de toutes les lois qui prévaudront désormais sur ses domaines.

Victime de la loi qu'il n'a pas pu transgresser, Pedro Páramo n'acceptera aucune autre forme de règle ou d'interdit, faisant tout pour briser les obstacles et les hommes qui tentent de mettre une limite à sa toute-puissance. Il a d'ailleurs lui-même conscience du caractère sacrilège de sa vie : quand son fils bien-aimé se tue accidentellement, il reçoit ce coup comme un châtiment : « *Je commence à payer.* »

Peut-être peut-on comprendre, dans cette perspective, l'attitude de Pedro Páramo après la mort de son propre père :

> Pedro Páramo causó tal mortandad después que la mataron a su padre, que se dice casí acabó con los asistentes a la boda en la cual Don Lucas Páramo iba a fungir de padrino. Y eso que a don Lucas nomás le tocó de rebote, porque al parecer la cosa era contra el novio. Y como nunca se supo de dónde había salido la bala que le pegó a él, Pedro Páramo arrasó parejo (p. 83, p. 95).

L'attachement à son père ne semble pas être la cause de la folie meurtrière de Pedro Páramo, car toutes les allusions que le texte fait aux rapports de Pedro et de Lucas Páramo semblent indiquer au contraire une ignorance et une incompréhension réciproque des deux hommes. La réaction de Pedro à l'annonce de la mort de son père est également frappante, car c'est le sort de sa mère qui lui cause plus de douleur : « *Et toi, qui t'a tuée, mère ?* »

La folie meurtrière de Pedro Páramo, qui le conduit à exterminer tous ceux qui avaient été susceptibles d'être à proximité du lieu où son père était mort, peut bien sûr s'expliquer par sa volonté d'imposer sa loi par la terreur, comme il fait pour éliminer ceux qui lui tiennent tête, mais il semble qu'il y ait plus. Dans la logique de la lecture symbolique que nous avons faite, deux explications se présentent, apparemment contradictoires, mais en vérité complémentaires. Si l'attachement à la mère ne peut avoir pour corollaire que la haine du père et le désir de sa mort, l'accomplissement réel de cette mort peut entraîner une culpabilisation du fils, qui s'attribue la responsabilité de cette mort, à cause du désir qu'il en avait, de là la violence de la réaction pour punir tout coupable présomptif, violence en rapport avec l'intensité du désir éprouvé. Mais on peut aussi penser que le fils soit frustré, par l'assassinat de son père, de sa propre vengeance filiale, et qu'il veuille punir ceux qui ont osé faire à sa place l'acte qui lui était dévolu.

On voit à quel point est importante, malgré les apparences de l'intrigue romanesque, la dimension filiale du personnage Pedro Páramo, ce rapport symbolique à la mère, qui sous-tend sa relation à Susana San Juan, et fonde la figure despotique du cacique de Comala. L'autre dimension, plus explicite dans la narration, est la dimension paternelle puisque Pedro Páramo est non seulement le père de Juan Preciado mais aussi d'un nombre considérable d'enfants non reconnus dont l'un, Abundio Martínez, joue un rôle important dans le roman, et d'un fils naturel Miguel Páramo, le seul qui porte son nom et qui ait été élevé par lui. Nous allons tâcher de caractériser cette facette du personnage, et voir comment elle s'articule avec celle que nous venons d'examiner.

## Les fils de Pedro Páramo

Le premier fils de Pedro Páramo est Juan Preciado, issu du mariage de Pedro et Dolores. On a déjà vu ce que supposaient, pour le fils, les circonstances qui ont entouré et suivi sa naissance : l'humiliation de la mère, son départ définitif, la vie du fils sans père, l'identité du fils qui marque un refus de filiation. Du côté de Pedro Páramo, tout cela suppose un désintérêt total pour sa femme et pour son fils. Son mariage avec l'héritière de la famille Preciado est très explicitement un mariage d'intérêt, puisqu'il lui permet d'effacer la plus importante des dettes laissées par ses parents, et, du même coup, de s'approprier la fortune et les terres de Dolores. Celle-ci ne lui plaît ni plus ni moins que toutes les femmes qui ne sont pas Susana San Juan, il la traite comme une servante, provoquant ainsi la déception amère de Dolores et son départ, qu'il ne cherche pas à empêcher, mais qu'au contraire il organise, dès que Dolores en exprime le désir. Le fils ne semble pas davantage intéresser Pedro Páramo, qui ne s'en soucie pas une fois durant toute sa vie. Telles qu'elles transparaissent dans la narration, les relations de Pedro Páramo avec les nombreuses femmes qui lui sont attribuées, n'ont rien de sentimental ; il les prend et les laisse, sans même savoir qui elles sont. Cette figure de « macho », qui met sur le même plan sa puissance virile et la puissance que lui confèrent sa richesse et sa position sociale, est tellement stéréotypée dans la littérature hispano-américaine, qu'il fallait, pour la rééquilibrer, l'autre aspect, celui de l'amoureux romantique, l'homme d'un seul amour, qui contrebalance efficacement les traits inévitables du cacique mexicain. L'activité procréatrice de Pedro Páramo est aussi désordonnée qu'aveugle : il ne se soucie pas le moins du monde des résultats concrets de ses aventures nocturnes, et quand le père Rentería lui apporte un nouveau-né, en lui disant qu'il est de lui, et qu'il doit l'élever, parce que sa mère est morte en lui donnant le jour, il ne doute pas un instant de sa paternité, et accepte de prendre en charge l'enfant, comme une manifestation de sa double puissance, génitale et économique.

Ce fils, le seul à être élevé à la Demi-Lune devient, dès sa prime jeunesse, le portrait même de son père, dans tous les aspects les plus négatifs de son personnage : non seulement il court assidûment les filles et les femmes, mais il est querelleur et insolent et à 17 ans il a déjà tué plusieurs hommes. Pedro Páramo aura, pour ce reflet caricatural de lui-même, toutes les indulgences et toutes les faiblesses, et, là encore, le pouvoir du cacique soustraira à la justice tous les méfaits de Miguel Páramo. La tendresse indulgente du père semble bien relever d'une sorte d'amour narcissique : « *Ses fautes, rejette-les sur moi* », dit-il à Fulgor Sedano.

Le père se reconnaît tellement dans le fils, qu'il le considère comme une partie de lui-même, et prend sur lui toutes les fautes que Miguel pourra commettre. Ce fils semble être en effet la créature du père dont il a assumé toute la violence, toute la morgue, toute la cruauté. Aussi, l'excès même de cet amour paternel va-t-il détruire le fils qui va se tuer, victime de sa propre violence, de son refus de se plier à la moindre contrainte. Symboliquement, Miguel est une sorte de centaure, il ne fait qu'un avec son alezan fougueux, qui, lui aussi, porte un nom signifiant : le Rouge, comme les passions violentes de son maître, comme le sang de son maître qu'il va répandre.

Il se tue en sautant à cheval un mur qui l'obligeait à faire un détour. Ce mur que son père, précisément, avait fait construire, représentait un obstacle à sa hâte : il meurt victime à la fois de cette violence incontrôlée que son père avait protégée, et de la loi que son père imposait aux autres et à laquelle lui-même voulait se soustraire en surestimant sa puissance. L'amour paternel de Pedro Páramo, au lieu de protéger son fils, l'a détruit, aussi est-il obligé de retourner contre lui-même la vengeance qu'il était prêt à déchaîner contre quiconque aurait fait du mal à son fils bien-aimé. Pourtant, il va utiliser son pouvoir pour protéger ce fils, même au-delà de la mort, en achetant l'absolution du père Rentería : une poignée d'or aura raison des scrupules moraux, et même de la haine de celui dont Miguel Páramo avait tué le frère et violé la nièce. Cette sorte de compulsion qui pousse Pedro Páramo au sacrilège, va jusqu'à défier Dieu qui vient de le frapper, en achetant son pardon.

Le troisième et dernier fils dont il soit fait mention dans le roman est le même Abundio qui guide Juan Preciado jusqu'à Comala et lui déclare, chemin faisant, qu'il est lui aussi fils de Pedro Páramo. C'est cette déclaration, faite au début du roman, qui permet de voir la portée réelle de la dernière scène de la vie du cacique où Abundio, ivre mort, tue le maître de la Demi-Lune : il faut rapprocher les deux extrémités du roman pour comprendre que ce meurtre, commis dans l'inconscience de l'ivresse, est en fait le meurtre du père. Abundio ne représente pas, comme Juan Preciado et Miguel Páramo, un cas particulier de filiation, il est au contraire l'un quelconque des nombreux fils naturels que Pedro Páramo a procréés et ignorés. Aussi est-il particulièrement significatif que ce soit lui qui soit chargé — à l'intérieur de cette instance filiale éclatée — de tuer le père. Il est représentatif, en effet, de toutes les victimes de ce richissime propriétaire, dont les enfants étaient mis au monde dans les conditions les plus misérables, et ce n'est pas pour rien que, lorsqu'il se trouve devant le vieil homme de la Demi-Lune, il lui demande « *une petite aide pour enterrer ma femme* » avant de frapper aveuglément pour faire taire les cris de Damiana qui était venue défendre son maître. Le meurtre d'Abundio est donc à la fois la vengeance des fils abandonnés, et la vengeance des pauvres exploités, expoliés et finalement chassés de leur village par l'insatiable avidité de pouvoir de celui dont l'activité créatrice dévoyée ne pouvait que se résoudre en destruction. La surdité d'Abundio, évoquée par Edwiges Dyada dans les premières séquences, peut se comprendre symboliquement comme la mutilation punitive de son crime : de même qu'Œdipe se crève les yeux après avoir pris connaissance des crimes inconsciemment commis.

Il est clair que les trois fils de Pedro Páramo, Juan, Miguel et Abundio, apparaissent comme constitutifs d'une instance filiale unique et intérieurement éclatée, dont chaque élément entretient avec l'instance paternelle des rapports différents et complémentaires. En tant que figure de père, Pedro Páramo est une puissance de destruction, comme s'il reproduisait, dans sa fonction paternelle, tous les traits négatifs qu'il avait lui-même attribués, en tant que fils, à son propre père. On retrouve, dans ces rapports des fils au père, l'impossible identification qu'on avait décelée dans l'analyse de Juan Preciado : le seul fils qui s'identifie au père, Miguel Páramo, trouve dans cette identification la cause même de sa mort.

### Susana San Juan

Si nous avons longuement parlé du personnage de Susana San Juan dans ses rapports à Pedro Páramo, nous n'avons pas épuisé pour autant l'entier du personnage, qui offre d'autres aspects fort importants. Le nom déjà doit retenir l'attention : son prénom évoque l'histoire de « Suzanne et les vieillards », racontée dans l'Ancien Testament, au chapitre 13 du Livre de Daniel. Suzanne, jeune et belle, était convoitée par deux vieillards qui, ne parvenant pas à obtenir ses faveurs, l'accusèrent d'adultère, et Suzanne ne dut son salut qu'à l'intervention de Daniel qui réussit à prouver la mauvaise foi des vieillards. L'histoire de Suzanne, et en particulier la scène où elle prend son bain dans le jardin, épiée par les vieillards cachés, a inspiré de très nombreuses illustrations : sarcophages, peintures, vitraux. Suzanne est devenue le symbole de la femme belle, convoitée, calomniée, mais pure. Son nom : San Juan, renforce la relation du personnage aux Ecritures, mais en outre il la met en rapport avec Juan Preciado. Ce rapport ne se situe pas au plan de l'intrigue romanesque, les deux personnages ne se rencontrent pas, mais Juan Preciado entend, de sa tombe, de longs monologues de Susana, enterrée dans une tombe voisine ; ces monologues font écho, de façon très parallèle, au récit de l'agonie de Susana, établissant ainsi un lien très étroit entre l'histoire du père et celle du fils.

Susana apparaît dans le roman comme un personnage très intense, en ce sens qu'elle exerce sur les autres une force d'attraction qui est sans commune mesure avec son importance sur le plan actantiel, où elle joue un rôle minime. Convoitée par son père, convoitée par Pedro Páramo, elle leur échappera à tous deux, consommée par une passion dévorante pour Florencio, personnage énigmatique, qui semble inventé par la folie amoureuse de Susana. C'est à la fois un personnage d'une grande pureté, à cause de la fidélité absolue qu'elle voue à sa seule passion, à cause aussi de la résistance obstinée que sa « folie » oppose, tant à son père, à Pedro Páramo, qu'au père Rentería ; et c'est aussi un personnage poursuivi par le péché.

Le père Rentería lui-même poursuit Susana, dans son agonie, pour lui arracher une confession, un repentir qu'elle lui refuse en se réfugiant dans la mort, dernier recours pour échapper à tous ceux qui la poursuivent.

Le personnage de Susana est lié à l'eau, et plus particulièrement à la mer : dans ses derniers délires et dans ses monologues d'outre-tombe, elle évoque longuement les bains de mer qu'elle aimait tant, avec ou sans Florencio. L'intense sensualité de ces évocations, mêlées des souvenirs de sa passion pour Florencio, laisse intacte l'impression de pureté éprouvée par Susana, pour qui la mer est à la fois un élément de possession érotique et de purification. Susana semble être au vrai l'épouse de l'océan, réunissant en elle la sensualité et la pureté, elle incarne la fougue de la passion la plus charnelle qu'elle transmue dans la poursuite d'un absolu qu'elle quêtera jusqu'à la mort.

Si l'on veut bien se souvenir de la lecture que l'on faisait plus haut du rapport de Pedro Páramo et Susana San Juan, on ne s'étonnera pas que ce personnage représente aussi pour Juan Preciado l'image idéale de la mère : objet de tous les désirs, aimant irrésistible et en même temps « *femme qui vit dans un autre monde* », hors de portée de toutes les convoitises, vouée à un amant fabuleux, échappant au père par l'éloignement, la folie et la mort. Cette image maternelle est le revers de celle de Dolores, femme possédée et bafouée par le père, et, dans la mesure où Susana est la cause de l'interminable agonie de Pedro Páramo, elle venge d'une certaine façon la violence et l'humiliation faites à Dolores Preciado.

Si l'on essaye de récapituler l'essentiel des caractères des personnages de *Pedro Páramo,* on remarque un nombre de constantes assez considérable :

1) Les personnages ne font l'objet d'aucune description qu'elle soit directe (dans le récit) ou indirecte (dans le dialogue). Si bien que l'image que le lecteur peut avoir du personnage n'est pas déterminée par le texte : pas de portrait, ni physique, ni moral. La narration refuse ostensiblement de copier une réalité de référence ; elle fuit la conception du personnage romanesque comme reflet de personnes qui ont existé ou auraient pu exister.

2) Les personnages se construisent essentiellement à travers le dialogue : ils ne sont pas pris en charge par le récit, ils entrent dans la narration par un acte de parole qui les pose, et impose leur présence, sans qu'ils aient été le moins du monde annoncés, présentés, identifiés. Ainsi dans la séquence 2, s'ouvre un dialogue entre deux personnages que le lecteur est d'abord incapable d'identifier ; puis il apparaît que l'un des deux interlocuteurs doit être le personnage-narrateur. Quant au second interlocuteur, il est d'abord identifié de façon absolument neutre, comme une voix. Ensuite, il est désigné en tant que personnage masculin : « ... *dijo él* ». Et ce n'est que plus loin que cet interlocuteur est identifié comme le muletier et que le narrateur explique brièvement comment ils se sont rencontrés.

De façon encore plus abrupte, dans la mesure où on a cette fois affaire à une narration impersonnelle qui élude le point de référence constitué par le Je narrateur, dans la séquence 6 s'ouvre un dialogue entre deux personnages dont il n'a jamais été question, et ce n'est que dix pages plus loin que le lecteur apprendra que ce garçon rêveur et nostalgique s'appelle Pedro Páramo.

Il faut préciser que cette façon de traiter les personnages ne se limite pas à leur présentation : tout au long du roman les personnages parlent beaucoup plus qu'on ne parle d'eux. Même quand ils agissent, ils *disent* ce qu'ils font, ce qu'ils ont fait ou vont faire, sans que le récit se charge de décrire ou expliquer leurs actions.

Une telle façon de concevoir le personnage, qui s'apparente fortement à la conception théâtrale, a des implications extrêmement importantes, que nous examinerons plus loin après avoir fait le tour des caractères essentiels des personnages.

3) Les personnages, qu'ils soient de premier ou de second plan, sont très puissamment symboliques ou archétypiques. Ce caractère est d'ailleurs un corollaire du caractère non-référentiel signalé plus haut. Il implique, en outre, la primauté des rapports entre les personnages, rapports qui, en grande partie, les définissent. De là, en particulier le grand nombre de personnages dans un roman si bref : plus il y a de personnages, plus il y a de rapports, et plus grande est la complexité des personnages mis en rapport. Ici la complexité des personnages n'est pas le résultat d'analyses, qu'elles soient à la charge du narrateur ou sous forme de monologues introspectifs, mais la conséquence de la multiplicité des rapports entretenus par les personnages.

4) Corollaire de ce qui précède : les personnages se regroupent en véritables petites constellations, d'après leurs traits communs et leurs fonctions analogues. Ainsi les trois personnages filiaux : Juan Preciado, Abundio Martínez et Miguel Páramo, ainsi les trois vieilles femmes : Edwiges Dyada, Damiana Cisneros et Dorotea ; ainsi les deux femmes de Pedro Páramo : Dolores Preciado et Susana San Juan ; ainsi les trois hommes de main de Pedro Páramo : Fulgor Sedano, Gerardo Trujillo et Damasio el Tilcuate.

Ce trait, extrêmement frappant, accentue encore le caractère non-référentiel des personnages, dans la mesure où ces constellations se présentent comme une sorte d'éclatement d'une même fonction actantielle, qui est ainsi vue sous différents aspects, simultanément ou successivement.

De l'ensemble de ces constantes, se dégagent une série de conséquences significatives. Que le personnage romanesque ne soit pas conçu comme reflet ou représentation d'une — ou plusieurs — personnes, rappelle ce que je répète volontiers : que le personnage romanesque ne doit pas être assimilé à une personne, qu'il est une construction langagière. Mais cette importante mise au point faite, reste à définir ce qu'est, spécifiquement, cette construction langagière nommée personnage, et comment elle fonctionne, quels sont sa place et son rôle dans la narration.

C'est ici que le deuxième caractère, relevé plus haut, est susceptible de nous aider à avancer. En effet, si les personnages de *Pedro Páramo* se construisent essentiellement à travers le dialogue, c'est qu'en vérité il y a une relation privilégiée entre le personnage et l'exercice de la parole. Le personnage pourrait effectivement se définir par le privilège qui lui est accordé de produire du discours à l'intérieur de la narration, et ce, par-delà son anthropomorphisme, puisqu'aussi bien un animal ou un objet accèdent-ils au statut de personnage, dès lors qu'ils produisent du discours.

La convention romanesque veut en effet qu'un personnage soit censé « prendre la parole » pour son propre compte, c'est-à-dire que les paroles attribuées aux personnages — qui constituent les dialogues ou monologues, directs ou indirects — ne sont pas prises en charge par le narrateur, mais incombent directement au personnage, qui acquiert ainsi une sorte d'autonomie fictionnelle. De là, par exemple, la mythologie des personnages qui « échappent » à leur auteur et prennent des proportions ou des directions imprévues au cours de l'élaboration de l'œuvre. Ce privilège du personnage est, bien sûr, pure convention, mais la convention fonde l'objet littéraire qui ne saurait se concevoir hors d'elle. Il n'est pas douteux que le pouvoir de produire du discours apparente le personnage à une autre instance de la narration dont la production de discours est la fonction essentielle, je veux parler du narrateur. Cette parenté fondamentale entre narrateur et personnage autorise, par exemple, la formation d'une instance double narrateur-personnage, dans le cas du narrateur en première personne, dont nous aurons à reparler dans l'analyse de la fonction narratrice.

Dans le cas de *Pedro Páramo,* l'importance donnée au dialogue, et plus particulièrement cette façon d'introduire les personnages par une abrupte prise de parole, constitue un partage original de ce pouvoir de produire du discours. En effet, dans une conception traditionnelle du roman, le pouvoir de produire du discours est essentiellement apanage du narrateur, généralement impersonnel et « omniscient » (ce qualificatif en dit long sur les impressions de puissance que condense cette forme de narrateur), qui ne partage ses prérogatives que fort parcimonieusement avec les personnages, gardant sur eux la haute main par d'abondantes descriptions, portraits, commentaires et analyses, le dialogue étant à peu près toujours fortement encadré par des commentaires destinés à identifier les interlocuteurs, et à préciser le ton, l'attitude, les gestes, etc., qui accompagnent les paroles.

Ici au contraire, les personnages apparaissent considérablement émancipés de la tutelle du narrateur, dans la mesure où ils font irruption dans la narration par une prise de parole non préparée par le récit, dans la mesure aussi où le dialogue est très peu commenté, au point que très souvent les interlocuteurs ne sont pas identifiés, ou bien ils s'identifient eux-mêmes dans leurs répliques. A cela s'ajoute l'utilisation intensive du monologue intérieur où les personnages prennent eux-mêmes en charge leur « intériorité », et en particulier leurs souvenirs, se substituant ainsi à l'activité d'analyse couramment assumée par le narrateur.

L'un des effets de sens les plus immédiatement perceptibles de cette manière de traiter le personnage romanesque, est une atmosphère de suspens, d'incertitude, de mystère dont s'entourent, dès l'abord, les personnages. Non identifiés, non identifiables par le lecteur, ils ne sont au début, et parfois même jusqu'à la fin de leur rôle, que des voix qui se disent, qui se racontent ou ne se racontent pas, à leur guise, sans qu'une instance extérieure vienne les manipuler, dévoiler ce qu'elles n'ont pas dit, ou commenter ce qu'elles ont dit. Ces traits sont particulièrement accusés dans le champ narratif I, où les personnages autonomes sont en harmonie avec ce monde fantastique que découvre Juan Preciado, monde où la vie et la mort se confondent, où le temps même n'impose pas sa loi inéluctable, monde sans loi puisque c'est un monde sans père. Il n'est pas douteux que l'effet de fantastique, produit par *Pedro Páramo,* soit dû, en grande part, à l'évocation d'un monde qui échappe aux règles de fonctionnement des choses, desquelles le lecteur est coutumier, et tout particulièrement à la présence multiple de personnages autonomes, qui semblent livrés chacun à leur propre arbitraire et qui, tous, imposent la présence hallucinante de leur voix.

Ainsi le personnage, dans *Pedro Páramo,* n'est plus tout à fait l'instance régie, mais capable de produire du discours, sorte de marionnette dont une instance toute puissante tire les ficelles, mais une instance fondamentalement productrice de discours, qui donne l'illusion d'une autonomie totale. On a donc affaire à une narration où la fonction de pouvoir (le pouvoir de produire du discours) se partage entre deux instances productrices de discours : l'instance narratrice et l'instance actantielle. Ce partage, ne nous y trompons pas, n'est pas une anodine affaire de mode littéraire : comme tous les procédés d'écriture, celui-ci a des implications idéologiques certaines. En effet, ce partage de la fonction de pouvoir dans l'écriture est l'image d'un éclatement du pouvoir, dans la mesure où la multiplicité des personnages multiplie autant l'émiettement du pouvoir. Que ceci puisse donner lieu à une lecture politique, ce n'est pas douteux, mais au plan de l'écriture, cela signifie aussi une dépossession de l'instance narratrice, une sorte de dilution du pouvoir dont elle était presque seul dépositaire. Nous reviendrons là-dessus en étudiant la fonction narratrice, mais on peut d'ores et déjà soupçonner la gravité d'un processus qui, mené à son terme, signifierait la mort de l'écriture.

On ne s'étonnera pas, après ce qui vient d'être aperçu, que les personnages, dans *Pedro Páramo,* aient cette sorte de densité que leur confère le mystère dont ils s'entourent, et à la fois l'exercice souverain de la parole. Ces personnages, qui refusent obstinément toute apparence humaine, sont loin cependant de donner l'impression de n'être que des mécaniques verbales ou des automates ingénieux : ils mettent en jeu, à travers une série de rapports d'une grande complexité, des processus psychiques très fondamentaux, et donc éminemment généralisables, ils mettent en scène des instances qui, au lieu d'être particularisées et figées en un seul personnage, éclatent en une constellation, qui nuance et rend visibles les aspects multiples sous lesquels sont vécues, par chacun de nous, les instances maîtresses de nos psychismes.

Si nous convenons d'appeler fonction actantielle la fonction dévolue à l'assemblée des personnages dans l'économie générale de la narration, on pourra dire que dans *Pedro Páramo,* la fonction actantielle se caractérise par une considérable autonomie vis-à-vis de la fonction régissante par excellence : la fonction narratrice. Elle acquiert l'apanage d'une fonction de pouvoir, dans la mesure où elle est éminemment productrice de discours, en rivalité avec la fonction narratrice. La fonction actantielle n'est pas tournée vers la reproduction d'une réalité référentielle (personnes réelles ou vraisemblables) ; elle met au contraire en œuvre une série de rapports qui construisent une réalité symbolique éminemment généralisable (fantasmes archétypiques).


## NARRATEUR ET PERSONNAGES : LE PARTAGE DU POUVOIR


La fonction narratrice dans *Pedro Páramo* ne se présente pas sous une forme homogène puisque, nous avons déjà eu l'occasion de le noter, une partie de la narration (champ narratif I) est prise en charge par un narrateur en première personne, et un autre (champ narratif II) par un narrateur non personnel. On a vu que la ligne de partage des deux champs narratifs, ligne sinueuse s'il en est, constitue un axe très important dans l'organisation romanesque puisqu'il détermine :

115

— deux histoires (celle du fils et celle du père) ;

— deux époques (celle qui va de l'adolescence de Pedro Páramo à sa mort, et le bref séjour de Juan Preciado à Comala) ;

— deux espaces (le Comala florissant et le Comala infernal).

Nous allons donc essayer de décrire successivement ces deux formes de narrateur, et de comprendre les raisons de ces différentes modalités ainsi que leurs significations dans l'économie générale de la narration.

## Le narrateur non personnel

Je me propose d'appeler narrateur non-personnel la modalité de l'instance narratrice qui n'apparaît pas dans le récit sous forme de personne verbale ; il ne faut bien sûr pas donner au terme « personnel » le sens de « personne humaine » mais exclusivement de personne verbale, étant bien entendu que le narrateur, sous quelque modalité que ce soit, n'a rien à voir avec une personne humaine et qu'il représente seulement une forme de la fonction narratrice. J'ai choisi de commencer d'étudier la modalité non-personnelle, encore qu'elle n'apparaisse dans le roman qu'en second lieu, dans la mesure où elle semble soulever moins de difficultés que le narrateur en première personne qui est la modalité englobante.

La séquence 6 commence par la description d'une cour après l'orage, description où, contrairement à ce qui se passait dans les cinq premières séquences, n'apparaît pas la première personne verbale qui prenait jusque-là en charge le récit. Viennent ensuite quelques répliques échangées entre deux personnages dont il n'a pas encore été question, puis s'ouvre une sorte de monologue intérieur, attribué au garçon précédemment interpellé par sa mère, monologue par deux fois interrompu par des bribes de dialogue entre les deux mêmes personnages. Ainsi débute l'histoire de Pedro Páramo qui, d'un bout à l'autre, sera prise en charge par une instance narratrice non-personnelle, qui ne s'implique pas dans la narration, et qui ne se désigne pas elle-même comme instance narratrice mais se laisse impliquer par le récit.

Nous examinerons plus loin le problème du passage du narrateur en première personne au narrateur non-personnel, pour le moment nous allons tâcher d'apercevoir comment se présentent les différentes modalités narratives de cette séquence 6, que l'on retrouve aussi dans les suivantes.

La description qui ouvre la séquence pose d'emblée la question du *point de vue* du narrateur. Si on entend par là le lieu imaginaire à partir duquel semble être fait un récit, on constate que bien souvent le point de vue du narrateur tend à se rapprocher du point de vue imaginaire que pourrait avoir l'un des personnages qui participe à la scène narrée. La notion de point de vue est intéressante dans l'étude du narrateur ; car c'est ce point de vue qui détermine la vision qu'aura le lecteur, et il donne par conséquent des indications sur les effets visés par la narration. Ici, la description de la cour après l'orage est faite de toute évidence de l'intérieur même de l'enceinte décrite, éludant toute situation d'ensemble : le lecteur ignore où se trouve cette cour, dans quel village, à quel endroit du village, etc. ; il est placé d'emblée dans une situation très particularisée, de même qu'il est confronté de but en blanc avec des personnages dont il ignore tout.

On ne peut pas dire que cette description soit faite selon un point de vue qui se rapprocherait de celui d'un personnage, car elle est préalable à l'apparition de tout personnage, et lorsque les deux personnages commencent à dialoguer, ce qu'ils disent n'a aucun rapport avec ce qui vient d'être décrit. Un rapport pourtant s'établit, moins direct, plus occulte, mais remarquablement efficace, entre cette description et celle qui est faite d'un paysage remémoré dans le monologue intérieur qui suit les premières répliques.

Le rapport s'établit d'abord à travers l'évocation du vent qui joue avec le soleil et les feuilles, aux dernières lignes de la description. Le vent sera repris, comme thème majeur de l'évocation des jeux de Susana et de Pedro dans le monologue.

Le vent et le jeu sont donc le lien subtil qui, rapprochant

inopinément la description assumée par un narrateur non-personnel et le monologue intérieur de Pedro Páramo, modifie totalement les données du problème. En effet, s'il est vrai qu'on ne peut pas dire que, dans la description aperturale de la séquence, le point de vue du narrateur se rapproche de celui du personnage, enfermé dans le cabinet et plongé dans sa rêverie, il est vrai cependant que s'établit, entre la description et le monologue, une harmonie secrète, un accord latent, qui suggère une obscure parenté entre le personnage du jeune Pedro Páramo et le narrateur non-personnel. De cette coïncidence latente des deux instances de l'écriture, la suite de la séquence donne un autre exemple :

> ... « Cuando tú estabas allí mirándome con tus ojos de agua marina. » Alzó la vista y miró a su madre en la puerta (p. 16, p. 19).

Ici, par une mystérieuse connivence du monologue et du récit, du passé remémoré par le personnage et du passé plus proche rapporté par le récit, le regard de la mère se superpose au regard évoqué de Susana. Il est indéniable que, par-delà les conséquences que ce rapprochement peut avoir sur les personnages et dont on a parlé plus haut, il y a là un élément de signification difficile à saisir, dans la mesure où il ne concerne pas directement les modalités du narrateur, mais où ses effets de sens s'étendent à divers éléments de la narration.

On peut dire que si, dans la narration de l'histoire de Pedro Páramo, nous avons bien affaire à une instance narratrice non-personnelle, extérieure à l'énoncé, il n'en reste pas moins qu'il existe, entre l'instance narratrice et le personnage de Pedro Páramo, une sorte de parenté, un rapport de connivence qui n'est pas habituel dans une narration à narrateur non-personnel, un rapport qui rappelle celui, privilégié, du narrateur-personnage, encore qu'on ne puisse en aucun cas les assimiler.

Il faut noter également que le lecteur a une vision intérieure de Pedro Páramo, c'est-à-dire que lui est accessible tout ce qui est censé se passer dans la conscience du personnage et qui n'est pas accessible aux autres personnages, alors qu'il n'a qu'une vision extérieure du personnage de la mère et, dans la séquence suivante, de la grand-mère. Le personnage de Pedro Páramo n'est pas le seul dont on ait une vision intérieure dans les séquences qui composent le champ narratif II, mais ce qui est remarquable c'est que l'on n'a jamais dans la même scène, la vision intérieure de plus d'un personnage. Cette particularité est intéressante, car l'instance narratrice élude constamment la position de narrateur « omniscient », pour donner une vision particularisée, qui est le point de vue de tel ou tel personnage. Cette position est en accord avec ce qu'avait révélé l'analyse des personnages, et que nous avions désigné comme un partage de pouvoir entre narrateur et personnages.

## Le narrateur en première personne

Le champ narratif I se définit donc, entre autre chose, par une instance narratrice qui s'identifie avec un personnage, et s'inscrit dans la narration sous forme d'une première personne verbale : « *Je suis venu à Comala.* »

Cette première personne, qui ouvre le roman, se déclare à la fois comme instance narratrice et comme personnage narré. Une telle forme de narrateur implique donc une instance double qui réunit en elle les caractéristiques et les prérogatives du narrateur et du personnage : narrateur régissant et producteur de discours, personnage régi et producteur de discours.

Cette instance double, qui est à la fois régissante et régie, active et passive, est aussi doublement productrice de discours : au premier degré, elle produit le discours narratif, au second degré, en tant que personnage, elle prend la parole dans le dialogue. Il convient de noter qu'à aucun moment les deux composantes de cette instance double ne se confondent : ainsi, les paroles du personnage-narrateur sont présentées comme celles de tout autre personnage, entre guillemets ou après un tiret, et ne viennent pas interférer avec le discours narratif.

Dans la perspective théorique de la hiérarchie des fonctions que nous essayons d'esquisser, on peut dire que cette instance double représente une hyperconcentration des fonctions de pouvoir, puisqu'elle réunit les deux fonctions productrices de discours. Dans le même temps, elle opère, de façon plus complète que dans le champ narratif II, le partage des prérogatives de production de discours, en instituant l'identité du narrateur et du personnage.

Il faut, en effet, remarquer que le choix d'un narrateur en première personne implique une limitation considérable des possibilités narratives, dans la mesure où, du même coup, on choisit un point de vue unique, dont on ne pourra plus se départir, celui du personnage auquel s'identifie le narrateur. Ainsi, par exemple, il ne pourra y avoir de vision intérieure que de ce seul personnage, la convention romanesque interdisant qu'un personnage connaisse l'intériorité d'un autre personnage. De même, un narrateur en première personne ne pourra-t-il raconter que les événements que le personnage auquel il s'identifie est censé connaître, soit parce qu'il y a participé, soit parce qu'il les a entendu rapporter, d'où une limitation très considérable dans le temps et l'espace. C'est dire que la fonction narratrice exercée par un narrateur en première personne représente, par rapport à celle exercée par un narrateur non-personnel, un pouvoir beaucoup moins considérable, une gamme de possibilités narratrices beaucoup moins étendue.

Devant cette constatation, on est en droit de se demander les raisons d'un tel abandon de pouvoir : est-ce que le renoncement que suppose le choix de cette modalité narrative est sans contrepartie, ou bien suppose-t-il un gain sous un autre rapport ? Pour bien situer le problème, qui n'est pas sans intérêt dans une théorie de la narration, il convient me semble-t-il, de mettre en rapport l'écriture romanesque où le choix est possible entre les deux types de narrateur, et une écriture où le narrateur est imposé par le genre littéraire, ou, si l'on préfère, par le « pacte » implicite entre auteur et lecteur, je veux parler des écrits autobiographiques.

Puisque l'autobiographie est, par définition, le récit que fait une personne de certains événements de sa propre vie, il va de soi que la narration se fera en première personne, puisque JE parle de MOI. Le pacte, qui s'institue alors entre auteur et lecteur, suppose bien évidemment que ce qui va être raconté sera *vrai,* sinon il ne s'agit plus d'une autobiographie, mais d'une fiction. Cela n'empêche pas que puisse être mise en question la sincérité de l'auteur, mais le tout sur un fond de vérité convenue.

Le lecteur d'une autobiographie s'attend également à lire la relation de faits, événements et expériences qui sortent du commun, car il ne comprendrait pas que quelqu'un se mît à raconter sa vie si celle-ci n'avait aucun intérêt particulier. De là que les auteurs d'autobiographies soient des gens célèbres : écrivains, hommes politiques, grands aventuriers, dont le commun des mortels suppose qu'ils ont une vie extraordinaire.

Ces deux conditions réunies, une autobiographie s'avère être plus alléchante qu'un roman puisque, comme la fiction, elle relate des aventures extraordinaires, et qu'en plus ces aventures sont vraies, sont advenues réellement à une personne à laquelle, moi lecteur, je pourrai m'identifier plus aisément qu'à un personnage fictif.

Si nous revenons au roman en première personne, nous ne pourrons certes pas dire qu'un pacte semblable à celui de l'autobiographie s'établisse entre auteur et lecteur car la double identification :

AUTEUR = NARRATEUR = PERSONNAGE

qui caractérise l'autobiographie, ne s'établit pas dans le cas d'une fiction ; seul fonctionne, dans le roman en première personne, le deuxième volet de l'identification :

NARRATEUR = PERSONNAGE

Mais il n'en reste pas moins vrai qu'il existe une parenté profonde entre auteur et narrateur, parenté d'ordre symbolique, si efficiente qu'elle a enraciné dans chaque lecteur la croyance en cette identité, que les efforts de la critique, soucieuse de rigueur théorique, ont tant de mal à contrecarrer. Cette parenté fonctionne à un niveau plus ou moins latent, et rétablit implicitement le premier volet de la double identité ; au résultat, s'il est vrai que le pacte autobiographique ne se trouve pas réellement établi, quelque chose demeure de cette obligation de vérité : l'impression, chez le lecteur, que quelque chose de réellement vécu par l'auteur doit se trouver parmi ce que le narrateur-personnage dit de lui-même. Sinon pourquoi parler en première personne ? Pourquoi renoncer aux privilèges du narrateur omniscient ? Pourquoi renoncer aux sortilèges du masque qui, de toutes façons, peut cacher le vrai et le faux ? On ne dit pas JE impunément.

Mais cette part de « vérité-vécue », sur quel plan peut-on s'attendre à la trouver ? Probablement pas sur le plan de l'anecdote, puisque nous sommes dans une fiction, et que de plus, dans *Pedro Páramo,* les aventures de Juan Preciado ne prétendent même pas à la vraisemblance. C'est donc sur le plan symbolique qu'on doit chercher cette part de « vérité-vécue » que délate l'emploi de la première personne, c'est-à-dire, et cela n'a rien de surprenant, dans le même ordre où se situent les rapports auteur/narrateur.

Avant de tenter de comprendre ce que peut être cette « vérité-vécue », il nous faut répondre à la question, posée plus haut, sur l'utilisation du narrateur en première personne et les motifs du renoncement de pouvoirs qu'elle suppose. Le détour par l'autobiographie nous a montré que l'identité NARRATEUR = PERSONNAGE entraîne effectivement un gain très remarquable, puisqu'elle confère à la fiction un statut de « vérité-vécue », auquel elle n'accède pas normalement.

En termes d'économie, les pouvoirs auxquels on renonce en choisissant le narrateur en première personne, sont compensés par ceux que l'on gagne sur un autre terrain : ce n'est en somme qu'un détour. Savoir si ce que l'on gagne est, au moins, équivalent à ce que l'on perd : cela va de soi, est-on tenté de répondre. Il est peut-être plus juste, et plus prudent, de penser que ce *détour* est requis par la nature même de ce qui est en jeu, c'est-à-dire de cette « vérité-vécue » que nous avons jusqu'ici manipulée avec précaution et guillemets. En d'autres termes, il paraît vraisemblable que l'utilisation d'un narrateur-personnage soit nécessaire à l'expression de ce vécu.

On a déjà vu que le narrateur en première personne suppose une instance double narratrice/actantielle. Le JE institue et raconte l'existence d'un MOI. Les deux faces de cette première personne s'impliquent mutuellement, et s'érigent ensemble dans la dépendance l'une de l'autre. Mais cette interdépendance suppose, en échange, une indépendance totale vis-à-vis de toute instance régissante autre, puisque l'instance double est auto-suffisante. On a en somme affaire à une sorte d'*auto-engendrement*, dans et par l'écriture, d'une instance double JE/MOI, régissante/régie, narratrice/actantielle. C'est une instance d'écriture, qui n'a pas d'existence en dehors d'elle. Ce fantasme d'auto-engendrement suppose que la première personne seule engendre une instance double. Il faut souligner qu'il s'agit là de l'inversion de la naissance, où un être simple naît d'un être double. De quelle naissance rend compte cet auto-engendrement ? Si le processus et les caractères sont assimilables à ceux de la naissance du Héros telle que la décrit C.G. Jung, ici le phénomène se situe dans l'ordre de l'écriture, et de ce fait doit signifier comme phénomène d'écriture. C'est-à-dire que le Héros qui s'auto-engendre ici, c'est le héros d'écriture ou, pour employer un terme plus couramment utilisé, le sujet d'écriture.

En somme cette « vérité-vécue », dont nous cherchions à déchiffrer l'énigme, c'est l'histoire de la naissance du sujet d'écriture, histoire réellement vécue par l'auteur, et dont il ne peut témoigner dans la fiction qu'à travers l'utilisation du narrateur en première personne, la seule susceptible de s'auto-engendrer. Le caractère double de l'instance ainsi engendrée est requis par la nature même de ce MOI qui, en tant que sujet d'écriture, relève de l'ordre de l'imaginaire, et se trouve donc soumis au principe du dédoublement.

Bien des caractéristiques de Juan Preciado et de son histoire reçoivent une signification nouvelle dans la perspective qui vient d'être tracée. Ainsi le mythe du « fils sans père » dont on avait déjà aperçu certains sens, s'inscrit-il tout naturellement dans cette perspective : l'auto-engendrement entraîne le rejet de la figure paternelle, avec laquelle il est désormais impossible de s'identifier, puisque l'on naît à un existence nouvelle, où il n'y a pas de possible filiation. La nouvelle naissance est vécue comme une expérience initiatique : d'où le thème fondamental du voyage, ici très fortement symbolique, puisqu'il est à la fois voyage géographique et descente au royaume des morts. Qui dit initiation, dit la présence de parrains, de guides, de personnages médiateurs, dont on a déjà souligné l'importance dans le roman. S'il y a renaissance, il y a mort et commencement d'une existence nouvelle : ainsi s'explique la mort de Juan Preciado et sa nouvelle existence outre-tombe, existence différente, et dont le début marque un changement, non seulement au niveau de l'intrigue, mais aussi — et cela est significatif — au niveau de la modalité narrative. On a déjà signalé, à propos de l'organisation narrative, que la séquence 35 constitue le pivot autour duquel s'opère une sorte de métamorphose de la narration : Juan Preciado, enterré avec Dorotea, parle avec elle et écoute les voix des morts enterrés autour d'eux. Le récit à narrateur en première personne devient un long dialogue, où se mêlent les voix de Dorotea et Juan Preciado avec celles des défunts, qui tiennent parfois des monologues où ils se remémorent leur vie passée. C'est-à-dire que le récit s'éteint complètement dans le champ narratif I, et les personnages prennent totalement possession de l'espace textuel, évinçant le narrateur et ses dernières prérogatives. L'évolution de la modalité narrative est donc bien en accord avec la ligne générale dégagée par l'analyse, d'un glissement du pouvoir du narrateur vers les personnages, glissement qui, mené à son terme, aboutit à l'éviction du narrateur.

Dans cette perspective, tout le récit en première personne jusqu'à la séquence 35, serait en somme le récit fait par Juan Preciado à Dorotea, dans la tombe, de ce qui lui est survenu depuis son arrivée à Comala jusqu'au moment où ils se retrouvent tous deux enterrés ensemble. Cela concorde effectivement dans les temps du récit, le passé du récit se situant par rapport au présent du début du dialogue qui apparaît à la fin de la séquence 34, dans la transition du récit au dialogue : « *J'ai souvenir d'avoir vu...* »

Mais alors, dira-t-on, il n'y a pas vraiment métamorphose de la narration, puisqu'en fait tout le champ narratif I n'est qu'un dialogue entre les deux personnages, dialogue dont la première partie se présente sous forme d'un monologue-récit de Juan Preciado. Je ne pense pas en réalité que cette nouvelle perspective qui s'ouvre, et dont l'importance n'est pas douteuse, change l'analyse précédemment faite, car la différence des modalités narratives avant et après la séquence 35, n'en demeure pas moins réelle. Même si la réplique de Juan Preciado place le récit en première personne sous regard du dialogue qui vient de commencer, le récit a bien la forme d'un récit en première personne, et non pas d'un dialogue ou d'un récit dans le dialogue. Ainsi, la nouvelle perspective ouverte là n'infirme pas ce que nous avons dit du récit en première personne, mais elle vient donner à celui-ci une dimension supplémentaire, en désignant à l'ensemble de la narration, un *narrataire* identifié avec le personnage de Dorotea et qu'il nous faudra étudier plus loin.

Il faut revenir sur la métamorphose de la narration opérée à la séquence 35, au moment où commence la nouvelle existence de Juan Preciado, car elle suppose, par la substitution du dialogue au récit, la disparition du narrateur. Que cette disparition du narrateur coïncide précisément avec la « mort » du personnage avec lequel il s'identifie, ne saurait nous surprendre. D'autant moins, que cette mort, qui prélude à une nouvelle forme d'existence, nous est apparue comme une représentation de la naissance du sujet d'écriture. Mais, dans cette perspective, la mort symbolique du narrateur prend une signification très importante, puisque la naissance du sujet d'écriture marque l'avènement d'une forme de narration d'où est exclue toute forme de narrateur — même le moins régissant — et où l'espace textuel est envahi par une multitude de « voix narratives », non plus même des personnages à part entière, mais des ombres de personnages, des présences abstraites, absolument dépouillées de tout support, qui font irruption dans l'espace textuel de leur propre mouvement, sans avoir été convoquées ou suscitées.

Quant à Juan Preciado, privé désormais de toute fonction d'actant, il devient, dans sa nouvelle existence, personnage médiateur par excellence puisqu'il *écoute* les voix des défunts et *rapporte* à Dorotea leurs propos. Or, le propre du sujet d'écriture est précisément d'être médiateur : réceptif aux voix obscures de l'inconscient, il les transmet aux autres, après les avoir traduites en un langage compréhensible, encore que toujours quelque peu mystérieux. Une telle vision de la narration, totalement émancipée de la norme dont est toujours porteur et garant le narrateur, ne porte-t-elle pas en elle le germe de sa propre destruction ? C'est bien ce que semble suggérer l'amenuisement progressif du dialogue Juan Preciado/Dorotea qui finit par s'achever dans une sorte de surdité réciproque, une sorte d'impossible communication.

Il semblerait donc que cette mort du narrateur, symbolique à travers le personnage, et réelle dans la forme de la narration, soit un constat d'aporie : à la fois le refus de la Loi, que l'on tue successivement dans tous ses avatars, et la conscience de la déliquescence inéluctable du discours narratif, voué aux forces incontrôlées de l'inconscient.

L'aphasie narrative où semble aboutir *Pedro Páramo* serait-elle explicative au regard du silence où s'est cantonné Juan Rulfo après la publication de ce roman ?

## La binarité narratrice

Nous avons déjà noté, à propos de l'organisation narrative, l'importance du premier passage d'un champ narratif à l'autre, entre la séquence 5 et la séquence 6, qui marque aussi le passage d'une forme de narrateur à l'autre. On avait en particulier attiré l'attention sur la fin de la séquence 5 qui décrit l'état de Juan Preciado au moment où, arrivé dans la maison de Edwiges Dyada, il va s'abandonner à la fois au sommeil et au monde étrange où il vient de pénétrer.

Cette description est importante dans la mesure où le personnage décrit est celui qui s'identifie avec le narrateur en première personne. Or, ce que l'on constate ici c'est que l'état décrit se caractérise par :

— le renoncement au contrôle du conscient,
— l'abandon à des forces inconnues,
— une dépossession de soi-même,
— un dédoublement du MOI par séparation et objectivation d'une partie de la personne (le corps).

Le dédoublement se traduit dans l'écriture par le jeu entre une première et une troisième personne à partir du dédoublement : *mi cuerpo / aflojarse, se doblaba, sus amarras, con él.* Or, ce qui va survenir, dans les lignes qui suivent, c'est précisément la substitution d'un narrateur en première personne par un narrateur en troisième personne. Tout se passe comme si, arrivé à Comala, le

126

personnage-narrateur, capable désormais d'entrer en contact avec des forces jusque-là ignorées, se dédoublait — ce à quoi le prédispose le caractère double de l'instance qu'il incarne —, et devenait un narrateur double : en 1$^{re}$ et en 3$^e$ personne.

Il est à remarquer que les dédoublements successifs du JE se font toujours selon le principe du miroir : les deux instances produites sont à la fois semblables et opposées. On ne s'étonnera pas que le principe du miroir régisse l'ordre de l'imaginaire.

La binarité de la fonction narratrice apparaît donc comme un corollaire de la structure fondamentale de la narration : l'avènement d'une instance double dont la vocation est de se dédoubler sans cesse. La répartition des caractères respectifs de chaque forme de narrateur ne se fait pas au hasard. Nous avons vu précédemment les raisons pour lesquelles le narrateur en première personne était requis pour relater l'histoire de Juan Preciado, il va de soi que l'histoire du père ne pouvait pas admettre, telle qu'elle se présente, le même type de narrateur. Et ce, non pas seulement pour des raisons de vraisemblance (le fils ne connaissant pas son père ne peut prendre en charge le récit de sa vie), car la vraisemblance, on l'a déjà constaté, n'est pas ici un des traits pertinents de la narration ; mais parce que le narrateur en première personne raconte, entre autres choses, l'auto-engendrement du sujet d'écriture, aventure qui concerne le fils, et lui seul. En outre, l'auto-engendrement suppose le rejet de l'image paternelle, et requiert des signes inéquivoques de la distance prise par rapport à elle : l'emploi du narrateur non-personnel en est un. Que l'histoire du père, représentant de la Loi, soit précisément prise en charge par le narrateur le plus représentatif de la fonction régissante, n'étonnera personne. On peut voir également dans le refus, de plus en plus marqué, d'une conception « despotique » de la fonction narratrice, le désir, incarné par le fils, de se démarquer fortement de l'image despotique du père, image qui peut être signifiante, non seulement au niveau socio-politique et idéologique, mais également au niveau littéraire, comme le rejet de modèles romanesques empreints d'une idéologie répressive.

Il faut remarquer également que l'histoire de Pedro Páramo n'est pas, ou très peu, racontée à Juan Preciado par les personnages-médiateurs qu'il rencontre et qui lui parlent plus volontiers d'autres personnages comme Dolores Preciado ou Miguel Páramo. Tout se passe comme si cette histoire, trop cruelle, trop pesante peut-être pour ceux qui en ont été les témoins, ne pouvait être prise en charge que par une instance non-personnelle, instance issue, ne l'oublions pas, de l'instance double en première personne. Si l'on examine la répartition, dans l'ordre textuel, des séquences du Champ narratif I et de celles du Champ narratif II, on constate que la prédominance d'un champ sur l'autre s'inverse de part et d'autre de la séquence 35.

Dans la première partie du roman (séquences 1 à 34), la prédominance du Champ I est nette, mais dans la deuxième partie (séquences 35 à 68), la prédominance du Champ II est écrasante. On est en présence d'un phéno-mène curieux : on assiste, à partir de la charnière de la narration, à un affaiblissement très marqué du dynamisme narratif du Champ I, qui correspond à l'abandon de toute activité de récit, alors que dans le Champ II le dyna-misme narratif augmente considérablement, quand le thème qui prédomine de plus en plus est celui de la mort (mort de Miguel Páramo, de la mère de Susana San Juan, rappel de la mort de Lucas Páramo et de ses présumés meurtriers, mort de Bartolomé San Juan, de Fulgor Sedano, rappel de la mort de Florencio, mort de Susana San Juan, de la femme d'Abundio Martínez et enfin de Pedro Páramo).

On constate d'abord que le dynamisme narratif accuse un crescendo dont le point climax est la mort. La mort, dans le Champ narratif I, ne représente pas une fin, puis-qu'elle est suivie d'une nouvelle vie et d'une nouvelle activité narratrice grâce, peut-être, au renoncement des privilèges du narrateur. Alors que le Champ narratif II se ferme sur la dernière mort, celle du père, qui ne laisse derrière lui sur la « *terre en ruines* » que le pur symbole de son nom : « *un tas de pierres* ».

# La question du narrataire

La notion de narrataire est pour l'heure assez peu définie et encore moins analysée, et pourtant il semble que le narrataire, comme instance dépendante et complémentaire du narrateur, mérite un examen attentif, et qu'il n'est pas exclu qu'elle apporte des renseignements intéressants sur le narrateur et sur le fonctionnement de la narration. L'attention requise par le narrataire se trouve d'autant plus justifiée que, de plus en plus, les romans contemporains tendent à mettre en évidence l'instance narrataire, soit en l'identifiant avec un personnage, soit en la mettant en question à l'intérieur de la narration.

Nous entendrons par *narrataire* une des instances de la narration, dont la fonction consiste à recevoir la narration telle qu'elle est organisée par le narrateur. Il faut le distinguer du lecteur, qu'il s'agisse du lecteur réel ou effectif, ou même du lecteur idéal, archi-lecteur ou image du lecteur. Le lecteur est, en effet, soit une personne réelle, soit une représentation de personne à laquelle on assigne une activité de lecture : ainsi, par exemple, dans les classiques « avertissements au lecteur », ou les modernes interpellations au lecteur à l'intérieur des fictions (« mes lecteurs se demanderont... »). Contrairement au lecteur qui a — ou est supposé avoir — une activité critique de déchiffrement, interprétation, jugement, etc., le narrataire n'exerce aucune activité, il est essentiellement passif ou réceptif, c'est une instance totalement régie.

Dans *Pedro Páramo* apparaît, à la séquence 35, le personnage de Dorotea qui exerce dès lors une fonction de narrataire, puisque c'est à elle qu'est destiné le récit fait par Juan Preciado. Il faut s'empresser de souligner qu'il serait erroné de dire que Dorotea est le narrataire, de même qu'il serait faux de dire que Juan Preciado est le narrateur : l'un comme l'autre sont avant tout des personnages qui ont, comme tels, une fonction d'actants et, qu'en plus, ils exercent une autre fonction, à tel ou tel endroit de la narration. Ce qui est vrai, par contre, c'est qu'on doit considérer que le personnage qui reçoit cette fonction n'est pas, indifféremment, n'importe quel personnage, et que ses caractéristiques propres sont signifiantes au regard de la fonction qui lui est dévolue, même temporairement.

Ainsi le personnage de Dorotea a-t-il des caractéristiques qu'il convient de rappeler et qui vont avoir leur importance dans la définition de l'instance narrataire telle qu'elle apparaît ici. Dorotea est une vieille femme qui a vécu de la charité, et qui est connue dans Comala pour sa manie de porter dans son giron un épi de maïs emmailloté, qu'elle prend pour son enfant : ce n'est qu'après sa mort, explique-t-elle à Juan Preciado, qu'elle s'est rendu compte que cet enfant n'avait été qu'une illusion.

Dorotea est donc avant tout un personnage de mère frustrée.

L'autre caractéristique importante du personnage est son rôle d'entremetteuse auprès de Miguel Páramo. Ce rôle d'adjuvant, d'auxiliaire, d'intermédiaire, est donc celui d'un personnage médiateur : ce rôle, elle l'exerce aussi vis-à-vis de l'autre fils : Juan Preciado, puisque c'est elle qui l'enterre et le guide dans sa nouvelle existence d'outre-tombe. Mais de plus, elle entretient avec le personnage-narrateur une relation mère/fils inversée dont nous avons déjà parlé. Il semble donc que l'instance narrataire ait dans *Pedro Páramo* les caractères suivants :

1) Le narrataire est médiateur.

Il partage cette caractéristique avec le narrateur, mais sa médiation n'est pas de même nature : en tant que destinataire de la narration il est en rapport avec le lecteur dont il médiatise la relation au texte.

2) Le narrataire est un double inversé du narrateur.

Dans ce roman le narrateur s'identifie avec une figure filiale, alors que le narrataire s'identifie avec un substitut maternel. Ils ont, l'un et l'autre, vécu pour une illusion qui les a menés à la mort. L'un est homme et jeune, l'autre femme et vieille. L'un est un fils frustré, l'autre une mère frustrée. Enfin, ils forment tous deux dans la tombe l'image d'un être double et inversif.

En somme, on est en présence d'une nouvelle manifestation de l'instance double dont la vocation, comme on l'a vu à plusieurs reprises est de se dédoubler infiniment.

Il est à remarquer que le dédoublement s'accompagne d'une mutation du narrateur, puisqu'on a constaté qu'à partir de la séquence 35, au moment où apparaît le personnage à fonction narrataire, le narrateur en première personne abandonne toute activité de récit, et se gomme de la sorte en tant que narrateur.

On peut encore préciser que l'apparition d'un personnage-narrataire est subordonnée à l'existence préalable d'un personnage-narrateur, mais que, par contre, la présence d'un personnage-narrateur n'entraîne pas immanquablement celle d'un personnage-narrataire. Dans l'hypothèse de ce second cas (c'est, remarquons-le, la situation dans *Pedro Páramo* jusqu'à la moitié du roman) comment se présente le narrataire ? L'instance double en première personne dessine en creux la présence d'un allocutaire, d'un TU impliqué par le JE, qui n'affleure pas à la narration, mais avec lequel peut s'identifier le lecteur grâce au rapport narrataire/lecteur. De la sorte, le récit en première personne sans narrataire explicite serait le procédé qui susciterait le plus fortement la participation du lecteur, dans la mesure où celui-ci serait invité à s'identifier avec ce TU que le récit implique, sans lui assigner de contenu. On peut dire que TU est la forme minimale du narrataire, correspondant au narrateur en première personne : TU est bien le double inversé de JE, puisqu'il est à la fois non-JE et qu'il implique JE, et TU a bien vocation de médiateur, puisqu'il est, avec JE, la personne du dialogue.

A partir de cette forme minimale, le narrataire peut prendre tel ou tel contenu particulier, par identification avec tel personnage. Ici TU = Dorotea. Une condition nécessaire sera que les caractéristiques du personnage satisfassent aux deux principes structurants du narrataire.

Nous n'avons jusqu'à présent parlé que du narrataire correspondant au Champ narratif I, où il se trouvait identifié, à un moment de la narration, avec un personnage. Mais qu'en est-il dans le Champ II, où l'on a affaire à un narrateur non-personnel ? Si l'analyse qui précède est pertinente, les principes qui ont été dégagés devraient également s'appliquer dans le cas de cet autre type de narrateur. Puisque le narrateur est non-personnel, qu'il ne s'inclut pas dans l'énoncé sous forme de personne verbale, le narrataire correspondant ne pourra être que non-personnel et non inclus dans la narration. C'est dire que, dans ce cas, le narrataire se définit négativement, et qu'il va être très difficilement repérable dans le texte.

Pour essayer de préciser davantage, il faut se référer à d'autres caractéristiques du narrateur puisque l'on sait que la gamme de variation du narrateur non-personnel est extrêmement étendue, et va du narrateur omniscient jusqu'à celui qui adoptera le point de vue le plus restreint. La notion de point de vue est donc fondamentale pour la détermination du couple narrateur/narrataire : en effet, le narrateur choisit son point de vue et organise le récit en fonction de celui-ci, et le narrataire reçoit le récit tel quel.

Cette formulation : « choisit », « reçoit » ne signifie pas, répétons-le, que narrateur et narrataire soient ni des personnes ni des personnages, elle veut simplement indiquer d'un côté une fonction active, régissante, de l'autre côté une fonction passive, régie. Le narrataire, voué à adopter le point de vue du narrateur, va être à son tour médiateur de ce point de vue auprès du lecteur qui, lui, pourra avoir une attitude critique face à la vision des choses qui lui est offerte, mais qui, en tout état de cause, ne pourra pas en avoir une autre. Dans la mesure où le narrateur non-personnel dispose d'une ample gamme de points de vue dont il peut à tout instant jouer, le narrataire variera très souvent dans le courant de la narration, et donnera ainsi au lecteur l'impression d'avoir de multiples visions qui lui assurent une liberté de jugement. C'est pourquoi le point de vue du narrateur omniscient — toujours évité dans *Pedro Páramo* — donnera une impression de didactisme car le narrataire sera le double inversé de cette instance légiférante, c'est-à-dire une instance manipulée, à qui le narrateur indique précisément ce que sont les choses et ce qu'il faut en penser.

La tendance, observée dans *Pedro Páramo*, au partage du pouvoir, implique une fonction narrataire moins étroitement déterminée, moins contrainte et, partant, moins contraignante puisque le lecteur est amené à s'identifier à elle. On peut se demander pourquoi la fonction narrataire est plus régie dans le cas d'un narrateur non-personnel que dans le cas d'un narrateur en première personne, alors que précisément celui-ci ne peut adopter qu'un seul et même point de vue, celui du personnage auquel il s'identifie, tout au long de la narration. La réponse, je crois, est dans la nature de la personne verbale adoptée par le narrateur.

En effet, le narrateur en première personne définit son point de vue comme extrêmement particulier et prend en charge, en tant qu'instance personnelle, sa vision des choses et les jugements qu'il peut formuler. L'instance narrataire correspondante : TU, reflète bien le point de vue du JE, mais elle se distingue de lui, car il ne peut y avoir deux JE puisque JE est une situation d'allocution fondamentalement singulière. Ainsi, le lecteur est invité à recevoir une vision, qui est celle du JE, mais qui passe par une instance médiatrice, le narrataire, qui ne se confond pas avec JE. Il y a donc en quelque sorte une distance entre narrateur et narrataire, due à la distance entre JE et TU, qui crée, pour le lecteur, l'espace nécessaire à sa liberté.

Au contraire, dans le cas du narrateur non-personnel, l'instance narrataire est aussi non-personnelle et, encore qu'elles ne soient pas identiques, puisque double inversé l'une de l'autre, les deux instances en troisième personne sont difficilement particularisables, et la distance entre narrateur et narrataire est rendue invisible. En effet, la troisième personne est très peu particularisante et s'applique indifféremment à toute instance exclue de la situation d'interlocution. Outre cette absence de distance entre narrateur et narrataire, l'emploi de la troisième personne tend à assimiler symboliquement l'instance narratrice à la Loi, à l'ordre répressif, à la représentation de pouvoir, déjà inscrits dans la fonction narratrice. Le lecteur a l'impression que la vision des choses, les jugements, les appréciations, pris en charge par une instance non-personnelle, sont l'émanation, non pas justement d'une instance personnelle particulière et donc faillible, mais au contraire d'une sorte de sagesse générale, d'instance collective beaucoup plus crédible et fiable.

Tout ce que nous venons d'apercevoir explique que le roman contemporain travaille à découvrir et à multiplier les procédés d'écriture qui tendent à neutraliser l'hégémonie de la fonction de pouvoir, à mettre en question l'infaillibilité narratrice.

Un exemple très frappant de cela est le début de l'inévitable séquence 35, où entre en scène le personnage-narrataire : le personnage-narrataire conteste la version des faits que vient de lui fournir le personnage-narrateur et, prenant à son tour en charge une autre version du récit, oblige le personnage-narrateur à revenir sur son récit antérieur, et à le refaire différemment. C'est une façon inéquivoque de mettre en question l'instance narratrice et de revendiquer, pour le narrataire, un droit de regard sur le récit. Ce subterfuge, remarquons-le, n'est possible que grâce à l'existence d'un personnage-narrataire lié au narrateur en première personne, dans le cas du narrateur non-personnel c'est par d'autres voies qu'est mise en échec l'hégémonie narratrice : c'est essentiellement par la mise en avant des personnages, et l'utilisation intensive du dialogue. En effet, à cause des conventions romanesques, les personnages semblent se prendre en charge eux-mêmes, et se substituer au narrateur à bien des égards : en apportant par le dialogue des éléments d'information qui sont généralement apportés par le récit, en formulant les uns sur les autres des opinions et des jugements qui n'incombent pas de la sorte au narrateur, en apportant sur les événements des points de vue différents, qui constituent une vision plurielle qui donne au lecteur un sentiment de liberté de choix.

On peut se demander si ce nouveau rôle que le roman dévolue au lecteur, et qu'exprimait de façon retentissante Julio Cortázar dans *Rayuela*, huit ans après *Pedro Páramo*, rôle que lui assigne précisément la fonction narrataire, n'a pas une incidence importante sur la qualité de lecture requise. En effet, si la fonction narrataire est moins régie, moins étroitement déterminée et conduite, cela suppose que toute l'élaboration qui n'aura pas été faite par le narrateur incombera au narrataire. Ainsi, dans *Pedro Páramo*, l'aspect le plus frappant du roman et celui qui en rend la lecture malaisée, c'est la fragmentation de l'organisation narrative, et l'absence d'un ordre rationnel et repérable.

Il est évident qu'il y a dans ce refus d'un ordre logique ou chronologique, dans ce parti-pris de briser l'histoire, de démembrer les personnages, un renoncement à la tâche d'organisation qui est la prérogative caractéristique du narrateur. La lecture est dès lors appelée à être, non pas une attitude passive et exclusivement réceptive, mais, au contraire, une activité de construction et de mise en rapport des divers éléments du puzzle.

Cela ne signifie pas que l'organisation narrative de *Pedro Páramo* soit le fruit du hasard : comme on l'a vu plus haut elle obéit au contraire à un ordre impérieux, mais latent, qui met en œuvre des mécanismes qui rappellent ceux du rêve et du travail de l'inconscient. Or, si l'on veut bien se souvenir que le narrataire est un double du narrateur, il va de soi que ce qui va être sollicité chez le lecteur, c'est justement cette activité symbolique complémentaire de celle du narrateur, qui va lui permettre de renouer des fils et de jeter des ponts. De même que le narrateur renonce aux séductions faciles, le lecteur ne peut pas se contenter d'une lecture facile et passive. Si ce qui est raconté dans *Pedro Páramo* c'est bien toutes ces aventures symboliques qui nous sont apparues : quête du père, quête de l'identité, naissance du sujet d'écriture, le lecteur est partie prenante dans cette initiation. C'est pourquoi dans une image symbolique d'une remarquable densité, personnage-narrateur et personnage-narrataire — le JE et le TU — sont enterrés ensemble dans la même sépulture.

# LE COQ D'OR

Ce petit roman est entré dans l'œuvre de Juan Rulfo presque clandestinement, comme un texte « pour le cinéma » sans grande importance. Pourtant il s'agit bien d'une narration, et non d'un scénario, écrite avant 1962 et publiée discrètement en 1980, peut-être sans l'accord de l'auteur, fort peu préoccupé des éditions et des rééditions de ses œuvres.

Au sujet de cette œuvre, une étrange coïncidence frappe le lecteur disposé à considérer les déclarations de Juan Rulfo non comme paroles d'évangile mais comme partie intégrante de son monde fictionnel. Au temps où l'écrivain déclarait qu'il était en train d'écrire *La cordillère,* il donna, dans quelques entrevues, des détails sur ce roman. Il parla en particulier des deux personnages principaux :

> « Le personnage central est une femme qui est en train de lire son acte de décès. Elle s'appelle Pinzón et elle est propriétaire d'une zone rurale qui s'appelle la Pinzona. Dionisio Tizcareno fut le fiancé... »

Alors que cette histoire n'a rien à voir avec celle du *Cop d'or,* on est frappé de constater que, parmi les cinq noms cités ici, trois se retrouvent identiques mais combinés différemment, dans *Le coq d'or.* Il est clair qu'il ne saurait s'agir d'une coïncidence. Peut-être *Le coq d'or* a-t-il été écrit à partir de « chutes » de l'ébauche de *La cordillère* ? On sait l'importance de l'onomastique pour Rulfo.

*Le coq d'or* raconte l'histoire de Dionisio Pinzón, un pauvre bougre qui, à cause d'un bras atrophié, vit misérablement du métier de crieur public. Un jour, il sauve un coq de combat à demi mort, et ce coq va transformer sa vie. Sa mère étant morte, il quitte le village et commence une carrière d'éleveur de coqs de combat puis de joueur grâce aux victoires de son coq doré. Il retrouve une chanteuse de foire, Bernarda Cutiño, surnommée La Chaponière avec laquelle il s'associe puis se marie. Cette femme devient son porte-bonheur au point qu'il s'enrichit considérablement en sa compagnie et perd sa fortune dès qu'elle n'est plus là. Ils ont une fille, Bernarda, surnommé La Pinzona, qui hérite la voix et l'amour de l'indépendance de sa mère. Quand La Chaponière perd sa voix, son mari la contraint à demeurer près de lui, dans la grande maison gagnée au jeu, pour lui servir de talisman dans ses activités de joueur. Désespérée par cette vie sédentaire qu'elle déteste, Bernarda boit de plus en plus jusqu'au jour où elle meurt silencieusement dans son fauteuil tandis que Dionisio Pinzón perd, en quelques heures de jeu malheureux tout ce qu'il possède. Quand il se lève, désespéré, il s'aperçoit que Bernarda est morte. Il se tire une balle dans la tête et on les enterre tous les deux, tandis que la jeune Bernarda s'en va chanter de foire en foire.

Ce roman met en scène le monde très particulier des combats de coqs et des joueurs professionnels qui vont de foire en fête paroissiale, de village en village à la recherche du gain abondant et facile. Comme dit Lorenzo Benavides, qui va apprendre à Dionisio les ficelles du métier :

> « Le travail n'a pas été fait pour nous, c'est pour ça que nous cherchons une profession pas trop dure. Et comment trouver mieux que celle du jeu où nous attendons assis que la chance nous nourrisse ? » (p. 41).

C'est un monde folklorique, haut en couleurs, avec un vocabulaire spécifique, des personnages typés depuis le professionnel habile et parvenu qui connaît tous les tours et les pièges, jusqu'à la chanteuse qui fait son métier en marge de l'arène mais qui profite du même argent qui se perd et se gagne autour des coqs ensanglantés où des jeux de cartes truqués. Pourtant le récit échappe au folklorisme dans la mesure où ce monde n'est pas postiche ou décoratif, mais au contraire constitue le terreau où s'enracinent les passions qui habitent les personnages du roman. Plus encore que *Pedro Páramo* parce que de manière plus dense, *Le coq d'or* est un roman de passions sourdes, puissantes, inextinguibles, dévoratrices jusqu'à la folie et la mort. Il est évident que la structure est loin de présenter la complexité de *Pedro Páramo*. On a affaire ici à un récit généralement linéaire, avec un aspect cyclique que lui confère le personnage de la fille Bernarda qui, à la fin, recommence, pour son propre compte, le destin de sa mère. Le roman est organisé en dix-huit séquences de longueurs très inégales, qui correspondent, le plus souvent à des unités chronologiques. L'histoire se situe à une époque indéterminée qui a des caractéristiques très voisines de celles du monde fictionnel rulfien : un temps passé avec un mode de vie rude et primitif, sans aucun élément de modernité. Elle couvre un laps de temps qui n'est pas précisé mais qui est, en gros, d'une génération. Le tempo du récit est très irrégulier : parfois une scène qui dure quelques heures s'étend sur de longues pages, d'autres fois des années s'écoulent en quelques lignes.

Le roman est centré sur deux personnages qui ne déparent en rien la galerie des figures de l'œuvre antérieure. Dionisio Pinzón est un protagoniste authentiquement romanesque dans la mesure où il évolue considérablement sous l'influence des événements et surtout travaillé souterrainement par une passion dévorante : le désir d'amasser une énorme fortune pour se venger des misères et des privations subies par sa mère et lui-même. Bien des traits du personnage rappellent Pedro Páramo : cette soif de revanche sur la pauvreté, une commisération presque inexprimée pour une mère victimée, l'absence de scrupules beaucoup plus violente chez Pedro Páramo, l'amour fasciné pour une femme lointaine, l'incapacité d'échapper au vertige de l'autodestruction. Une trouvaille particulièrement forte est l'épisode du retour de Dionisio Pinzón dans son village : une fois riche il revient pour donner à sa mère un enterrement qui compenserait celui, misérable et honteux qu'elle avait eu :

Il apportait avec lui un cercueil très luxueux qu'il avait fait faire spécialement à San Luis Potosí, capitonné à l'intérieur en satin et à l'extérieur en velours mauve ; orné de moulures en argent pur.
— Je veux qu'au moins après sa mort elle connaisse le repos et la commodité qu'elle ne put avoir durant sa vie.

Mais il ne pourra pas, comme il le voulait, déterrer sa mère pour l'enterrer luxueusement car là où il l'avait enterrée, il n'y avait plus « *ni monticules ni croix, seulement un champ plein d'herbes* ».

La rancœur de Pedro Páramo contre ce village qui n'avait pas pleuré la mort de Susana San Juan, Dionisio Pinzón l'a aussi contre ces gens qui s'étaient moqués de lui quand il allait enterrer sa mère « *dans une espèce de cage faite avec des planches pourries de la porte, et dedans, enveloppé dans un baluchon le cadavre de sa mère* ».

Ce luxueux cercueil où il ne put enterrer sa mère, Dionisio Pinzón le conservera toute sa vie pour y être enterré lui-même, dans une dernière et pathétique identification à la mère victimée.

La profession de Dionisio Pinzón, quand il est dans son village, est pleine de significations : il est crieur public et proclame aux quatre coins du village les animaux perdus, les filles fuguées. Marqué de naissance par un destin contraire (son bras atrophié) il n'a que sa voix pour vivre en se faisant l'écho de la communauté. Mais c'est justement grâce à son métier — pendant les fêtes il est le crieur des combats de coqs — que le destin va tourner : il récupère des mains de son propriétaire qui allait l'achever, un coq blessé à mort, l'aile cassée. Il va, à proprement parler, ressusciter le coq doré, animal symbolique de la résurrection du soleil, qui va, en retour, transformer sa fortune. La mère meurt « *comme si elle avait échangé sa vie contre celle... du coq doré* ». Pendant ces mêmes fêtes où il a reçu du destin le coq doré il voit pour la première fois Bernarda la chanteuse de foire qu'il retrouvera après dans une autre foire où il a mené son coq au combat. Cette femme prendra la suite du coq, tué quelque temps plus tard, en devenant son porte-bonheur, son talisman. Dès lors il ne pourra plus s'en passer et sera obligé de suivre la vie errante de cette femme éprise de la liberté et de la vie hasardeuse des artistes forains.

Etonnante métaphore de l'amour fatal que ce pouvoir magique de la femme qui fait que Dionisio Pinzón ne peut, littéralement, pas vivre sans elle.

Bernarda Cutiño est surnommée La Chaponière (La Caponera) qui, en espagnol, désigne la cage où l'on mettait les chapons pour les engraisser. Le texte justifie le surnom : « *peut-être à cause de l'attraction qu'elle exerçait sur les hommes* ». Bernarda va en effet enchaîner à elle Dionisio, l'entraînant dans cette vie dont elle ne peut se passer, même à un moment où il aurait préféré mener une vie plus sédentaire. Mais lorsque, abîmée par l'alcool et par l'âge, elle n'arrive plus à se faire engager comme chanteuse, la dépendance va s'inverser : Dionisio va l'obliger à demeurer près de lui, assise dans un fauteuil non loin de la table de jeu, pour assurer sa chance pendant les interminables nuits où il continue d'amasser sa fortune, sans autre but que d'assouvir cette passion.

Ce personnage de femme belle, fascinante, mystérieuse, entraînée par une passion irrépressible jusqu'à la folie alcoolique et la mort, rappelle Susana San Juan. C'est la femme qu'on ne peut s'empêcher d'aimer et qu'on n'arrive jamais à posséder, parce que, d'une certaine façon, elle est hors d'atteinte :

> En même temps qu'il la voyait, Dionisio sentait qu'elle était trop belle pour lui ; qu'elle était de ces choses qui sont trop loin de nous pour qu'on les aime (p. 52).

C'est une femme qui aime l'animation et le bruit des fêtes et des foires, son métier est précisément d'apporter à ces hommes appâtés par le gain hasardeux et ce vertige de tout perdre en quelques instants, de la joie et de la beauté. Pourtant elle n'est pas gaie, elle boit, peut-être pour oublier cette passion obscure qui la pousse de village en village sans qu'elle accepte de s'enfermer dans une maison, dans une vie sédentaire, même luxueuse. Pour les hommes elle est un peu magicienne, un porte-bonheur, un talisman :

— Tu ne sais pas comme j'aimerais que tu m'accompagnes aux combats de coqs. Tu es ma « pierre d'aimant » pour la chance.

— Ça, il y en a beaucoup qui me l'ont dit. Entre autres Lorenzo Benavides. Je dois avoir quelque chose, car celui qui est avec moi ne perd jamais.

— Je n'en doute pas. Je l'ai moi-même vérifié.

— Oui. Tous se sont servis de moi. Et après... Elle s'envoya une autre gorgée de mezcal, pendant qu'elle entendait que Dionisio lui disait :

— Moi je ne t'abandonnerai jamais, Bernarda.

— Je le sais — répondit-elle (p. 53).

Figure mystérieuse, magique, insaisissable, errante La Chaponière est une autre de ces femmes étranges et attirantes, rares et pour autant inoubliables de l'univers fictionnel rulfien : Susana San Juan, Matilde Arcángel. Leur trait commun est qu'elles appartiennent à un autre homme, un autre qui, lui non plus, ne saurait vraiment les posséder puisqu'elles finissent par fuir dans la folie ou dans la mort. Une particularité de Bernarda Cutiño est qu'elle s'inscrit, par rapport à Dionisio Pinzón, dans une chaîne symbolique très significative : la mère qui meurt pour laisser la place au coq d'or, qui meurt à son tour, remplacé dans sa fonction de talisman par Bernarda.

Je disais en commençant que *Le coq d'or,* malgré les éléments folkloriques qu'il contient, ne verse pas dans le folklorisme. On pourrait même dire que, à l'instar de l'œuvre antérieure de Rulfo, il arrive à dé-folkloriser le monde des combats de coqs en lui donnant une dimension symbolique tout à fait prédominante. C'est dans ce sens, je crois, que Juan Rulfo a laissé loin derrière lui l'opposition entre « régionalisme » et « universalisme » : il a pris tout ce qu'il y avait de plus régional, de plus folklorique et de plus spécifique : un coin perdu du fin fond du Mexique, l'époque de la Guerre des Cristeros, un « cacique » dans la plus pure tradition mexicaine, le monde des combats de coqs, les paysans les plus réactionnaires, violents et superstitieux, les bigotes les plus repoussantes, les pauvres les plus misérables, et il confère à tout cela une quatrième dimension pour en faire le monde fictionnel le plus étrange, le plus fascinant de la littérature de langue espagnole.

142

# CONCLUSION

Etrange destin, en vérité que celui de l'œuvre de Juan
Rulfo. Entrée dans la littérature mexicaine par la porte
de service, elle a peu à peu acquis une place prééminente
dans la littérature universelle, traduite dans une vingtaine
de langues. Quelqu'un écrivait vers 1970, peut-être un peu
sarcastiquement, que la gloire de Rulfo augmentait avec
chaque livre qu'il ne publiait pas. Il ne savait pas alors
à quel point il avait raison ; ni pourquoi.

C'est que l'œuvre rulfienne — et sans doute est-ce seulement maintenant qu'on peut l'apercevoir — s'est construite
selon une double modalité qui fait d'elle un iceberg ou
encore, dans une température plus proche de celle du
paysage rulfien, un volcan : il a ce que l'on voit, et il y a
ce que l'on ne voit pas, qui explique ce que l'on voit.
Cette manière d'écrire, en détruisant une partie de plus
en plus considérable de ce que l'on écrit, devait fatalement
conduire Rulfo au silence. Car la destruction n'était pas
seulement matérielle — des pages que l'on déchire — mais
aussi intérieure.

Le besoin d'écrire semble s'enraciner dans un noyau
fantasmatique très puissant, où se mêlent des événements
collectifs (les derniers troubles révolutionnaires, la Guerre
des Cristeros, la Réforme Agraire, la désertification de la
campagne du Jalisco), et les événements personnels liés
aux précédents (assassinat du père, des oncles, expérience
de l'abandon, de la solitude, de l'orphelinat). Mais il est
évident que cet ensemble d'événements dont il partage
l'expérience avec quantité de ses contemporains, ne saurait

suffire à expliquer l'œuvre de Rulfo. L'élaboration symbolique et langagière extraordinairement féconde de ce noyau fantasmatique est seule capable de rendre compte des caractéristiques propres de l'écriture rulfienne.

La fascination si particulière qu'exerce cette écriture, et que j'ai essayé de transmettre sinon d'expliquer, ne tient pas à tel ou tel élément (le fantastique, le rendu du parler paysan) mais à un ensemble fort complexe de caractères. C'est pourquoi je me suis efforcée de ne pas schématiser l'œuvre de Rulfo, mais au contraire d'en déployer les richesses pour faciliter la lecture, qui reste un acte éminemment personnel.

# BIBLIOGRAPHIE COMMENTÉE

## I. — ŒUVRES DE JUAN RULFO

### A. — En espagnol

Il n'y a actuellement aucune édition des œuvres complètes de J. Rulfo. Pourtant une édition porte ce titre, sans toutefois le mériter puisque postérieurement est apparu le roman *Le coq d'or*. Cette édition est intéressante néanmoins dans la mesure où elle inclut effectivement toutes les œuvres publiées avant 1977, et où elle comporte en outre un long prologue et une chronologie très complète de Jorge Ruffinelli :

RULFO Juan, *Obra completa,* Caracas, Biblioteca Ayacucho 13, 1977, 299 p.

Ce volume contient : Prologue, de Jorge Ruffinelli, *El llano en llamas* (17 nouvelles), *Pedro Páramo,* autres textes : le fragment « Un pedazo de noche », « La formula secreta » (poème sur le cinéma), « El despojo » (conte cinématographique), « La vida no es muy seria en sus cosas », une chronologie synoptique de la vie et de l'œuvre en regard des principaux événements et publications au Mexique, en Amérique et dans le monde, et enfin une bibliographie de 52 titres.

Une autre édition assez complète et très abordable est :

RULFO Juan, *Pedro Páramo y El llano en llamas,* Barcelona, Planeta, Coleccion Popular, 175, 249 p.

Ce volume contient en outre « Un pedazo de noche » et « La vida no es muy seria... ».

Les éditions d'œuvres séparées sont très nombreuses, on ne citera que les plus accessibles et utiles :

RULFO Juan, *El llano en llamas,* Madrid, Cátedra, Letras Hispánicas 218, 1985, 181 p.
Ce volume contient une introduction et une bibliographie de Carlos Blanco Aguinaga.

RULFO Juan, *Pedro Páramo,* Madrid, Cátedra, Letras Hispánicas 189, 1984, 195 p.
Ce volume contient une introduction et une bibliographie de José Carlos González Boixo.

RULFO Juan, *El gallo de oro y otros textos para cine,* Madrid, Ediciones Era, El libro de bolsillo Alianza Editorial 872, sección : Literatura, 1982, 151 p.
Ce volume contient une Présentation de José Ayala Blanco, le roman *El gallo de oro,* le scénario « El despojo », le poème cinématographique « La formula secreta », et un synopsis qui fut imprimé sur un programme distribué lors de la projection du film de Rubén Gómez *La formula secreta* pour lequel avait été écrit le poème. On y trouve aussi 18 photographies de films ou de tournages, ainsi que la filmographie de J. Rulfo.

## B. — En français

*La plaine en flammes,* traduit dès 1958 par Roger Lescot est aujourd'hui introuvable.

« Anacleto Morones », traduit par Roger Lescot. *La Nouvelle Revue Française,* IV, 67 (juillet 1958), pp. 76-92.

RULFO Juan, *Pedro Páramo,* Paris, Gallimard, L'Imaginaire 38, 1979, 145 p.
Traduit par Roger Lescot en 1959. C'est la seule édition française de Rulfo accessible, et on ne peut que le déplorer.

## II. — BIBLIOGRAPHIE SUR L'ŒUVRE DE JUAN RULFO

*La bibliographie en français* sur l'œuvre de Rulfo est peu abondante. Il n'y a aucun ouvrage ni sur l'ensemble de l'œuvre ni sur une œuvre en particulier, si ce n'est des Mémoires et des Thèses non publiés. On peut citer :

EZQUERRO Milagros, *Théorie et fiction,* Montpellier, Editions du CERS, Etudes Critiques, 1983, 255 p.

Dans cet ouvrage sur le nouveau roman hispano-américain, on trouvera une étude d'ensemble sur *Pedro Páramo.*

EZQUERRO Milagros, « Le roman en première personne : *Pedro Páramo* », in *L'autobiographie dans le monde hispanique,* Aix-en-Provence, Publications de l'Université, Etudes Hispaniques 1, 1980, p. 63 à 76.

Il s'agit d'une réflexion sur les enjeux idéologiques de l'utilisation de la première personne dans un roman.

*La bibliographie en langue espagnole* est, au contraire, fort abondante. Il n'est pas question ici de la citer exhaustivement, aussi renverrai-je, pour une information complète, au numéro monographique consacré à Juan Rulfo :

CUADERNOS HISPANOAMERICANOS, n° 421-423, Madrid, julio-septiembre 1985, 515 p.

On trouvera dans ce copieux numéro, outre des articles sur beaucoup d'aspects de l'œuvre rulfienne, une abondante bibliographie, susceptible de combler les plus curieux. Je citerai seulement deux livres parmi les plus intéressants et les plus récents : l'un, de caractère général sur l'ensemble de l'œuvre, adopte une démarche traditionnelle :

GONZÁLEZ BOIXO Juan Carlos, *Claves narrativas de Juan Rulfo,* León, Universidad de León, 1983, 281 p.

L'autre, sur *Pedro Páramo,* adopte une démarche sémiologique qui ne manque pas d'intérêt :

PORTAL Marta, *Análisis semiológico de Pedro Páramo,* Madrid, Narcea, Bitácora 70, 1981, 198 p.

Il faudrait ajouter à cette abondante bibliographie publiée, une grande quantité de travaux universitaires non édités qui témoignent de l'intérêt profond et constant que suscite depuis sa parution l'œuvre de Juan Rulfo.

ACHEVÉ D'IMPRIMER
LE 31 DÉCEMBRE 1986
SUR LES PRESSES DE
DOMINIQUE GUÉNIOT
IMPRIMEUR A LANGRES

DÉPÔT LÉGAL : JANVIER 1987
N° D'IMPRIMEUR : 1495

# Collection « *Points de Vue* »

Sekou TRAORE, *Les intellectuels africains face au marxisme.* 1983.

WOUNGLY-MASSAGA, *Où va le Cameroun ?* 1984.

J.-P. BIVITI BI ESSAM, *Cameroun : complots et bruits de bottes.* 1984.

P. KOFFI TEYA, *Côte-d'Ivoire : le roi est nu.* 1985.

MUTEBA TSHITENGE, *Zaïre. Combat pour la deuxième indépendance.* 1985.

G. ADJÉTÉ KOUASSIGAN, *Afrique : Révolution ou diversité des possibles.* 1985.

ELOI MESSI METOGO, *Théologie africaine et ethno-philosophie.* Problèmes de méthode en théologie africaine. 1985.

BABOU PAULIN BAMOUNI, *Burkina Faso.* Processus de Révolution. 1986.

E. KENGNE POKAM, *La problématique de l'unité nationale au Cameroun.* 1986.

MAR FALL, *Sénégal.* L'Etat Abdou Diouf, ou Le temps des incertitudes. 1986.

# Collection « Racines du Présent »

Christian BOUQUET, *Tchad, genèse d'un conflit.*

Monique LAKROUM, *Le travail inégal.* Paysans et salariés sénégalais face à la crise des années 30.

Chantal DESCOURS-GATIN, Hugues VILLIERS, *Guide de Recherches sur le Viêt-nam.* Bibliographies, archives et bibliothèques de France.

Claude LIAUZU, *Aux origines des Tiers-mondismes.* Colonisés et anticolonialistes en France (1919-1939).

Albert AYACHE, *Le mouvement syndical au Maroc* (1919-1942), tome 1.

Jean-Pierre PABANEL, *Les coups d'Etat militaires en Afrique noire.*

« Connaissance du Tiers monde - Paris VII », *Entreprises et entrepreneurs en Afrique* (XIX<sup>e</sup>-XX<sup>e</sup> siècles). 2 vol.

Ahmet INSEL, *La Turquie entre l'ordre et le développement.*

Christophe WONDJI, *La côte ouest-africaine.* Du Sénégal à la Côte-d'Ivoire.

A.P. OLOUKPONA-YINNON, *« Notre place au soleil » ou l'Afrique des pangermanistes* (1878-1918).

Nicole BERNARD-DUQUENET, *Le Sénégal et le Front populaire.*